新潮新書

本川達雄
MOTOKAWA Tatsuo

生物学的文明論

新潮社

はじめに

環境問題、資源・エネルギーの枯渇、超高齢化社会、赤字国債の山、私たちが直面している問題は、きわめて深刻です。これらにどう向き合うべきか、誰もが考えねばなりません。私も生物学者として考えました。それが本書です。

この「生物学者として」というところがミソです。現代社会は、技術が作り上げた社会という面がとても大きいのですね。車やコンピュータやベルトコンベアがなくなったら、私たちの生活は大きく様変わりします。そしてその技術の背景にあるのは数学・物理学です。

そして今の世は、マネーが跳梁する万事お金の世。この貨幣経済の背景にあるのも、数学・物理学的発想です（ここのところは本書六四ページを見て下さい）。つまり数学・物理学的発想が、この便利で豊かな社会を作り、同時に環境問題などの大問題をも生み出しているのだ、というのが生物学者として今の世の中を見る私のスタンスです。

本書では、なぜそのように言えるのかを述べるとともに、数学・物理学的発想ばかりでやろうとするから、問題が解決されないばかりか、どんどん深刻化していくのだ、生物学的発想をすれば、解決の糸口がつかめるのではないかと、考えを進めて行きます。そもそも生物とはどのようなものか、という生物の本質を説きながら、生物学的発想で現代社会を批判的に見たのが本書です。

生物学的文明論……目次

第一章　サンゴ礁とリサイクル

豊かな生物相

まずサンゴ礁から話を始めましょう。この話題を取り上げたのは、生物多様性、地球温暖化、南北問題、そして共生やリサイクルという、現代社会のキーワードが、まさにサンゴ礁のキーワードになっているからです。第一章ではサンゴからリサイクルについて学ぶことにします。第二章で共生、第三章で生物多様性の減少をはじめ、環境問題について論じることにします。

サンゴは動物です。イソギンチャクの仲間の、ごく簡単な体のつくりをした動物で、石の家を作り、その中に棲んでいます。この石の家は、サンゴが死んでも残り、それが固められてサンゴ礁という岩礁になります。この岩礁に、きわめて多様な生物が棲んでいるのです。

サンゴ礁は熱帯や亜熱帯の海に発達します。代表的なサンゴ礁はオーストラリアの東海岸に発達したグレートバリアリーフ。これは月から見えるほどの巨大なものです。生物が作った最大の構造物は、サンゴ礁なんですね。

日本では、沖縄や小笠原にサンゴ礁が見られます。私は長いこと、沖縄の瀬底島《せそこじま》という小さなサンゴ礁の島に住んでいました。

はじめて瀬底の海に潜った時のことは、忘れられません。サンゴの林がずーっと海中に広がっている。水がガラスみたいに透明だから、遠くまでよく見えるんです。サンゴの林の間に、色とりどりの魚たちが群れつどっている。瑠璃《るり》色や空色のスズメダイ。レモンイエローのチョウチョウウオ、緑色のでっかいブダイ。どれも原色だったり金属光沢に輝いていたり、じつに派手です。

朱色のクマノミももちろんいます。イソギンチャクと共生しているのですが、そのイソギンチャクが大きいんです。直径が一メートル近くもあるシライトイソギンチャクが、白い糸のようなたくさんの触手をゆらめかしていて、その中にメタリックオレンジのクマノミがゆったりと浮かんでいます。きわめて鮮やかです。

魚だけが派手なんじゃありません。岩の間からは、シャコガイが青や紫の光輝く外套膜の裾をきらめかせています。ハマサンゴの巨大な塊の上には、色とりどりのパラソルの花が咲きそっていますが、これはイバラカンザシゴカイというゴカイの、なんと鰓《えら》の部分です。

海底の砂地は真っ白。サンゴ礁の砂はサンゴの骨がくだけてできたものですから、真っ白。その上に、真っ黒なナマコが転々としているし、これまた真っ黒で長い棘《とげ》をはやしたガンガゼ（ウニの仲間）が、五匹一〇匹と、集まって群れています。これもなかなかみごとなものです。

サンゴ礁の海はじつに美しい。そして、じつに多様な生きものがいます。この美しさ、この多様性。ぜひ一度、サンゴ礁の海に潜ってみることをお勧めします。一度潜れば、忘れられない光景として脳裏に焼き付きます。

潜れば自分の周りはみなカラフルな魚ばかり。魚にとりかこまれてしまいます。生きものに囲まれて、生きものといっしょに生きていることが、サンゴ礁では実感できます。これは貴重な体験です。

それにしても、なんで魚が、こんなにもカラフルなんでしょう？

サンゴ礁には驚くほど多くの種類の魚がいます。彼らは目で見て相手を識別しているんですね。たくさんの中から自分のパートナーを選びだす。そのためには、目立った方がいい。ここで多様だということと、はでで美しいこととが結びついてきます。とはいえ、美しくても見えなければ話になりません。サンゴ礁の海の水が、ガラスのように透明度が高いからこそ、鮮やかな色が見える。美しい水が、美しい動物たちを進化させたのです。

美しい海は貧栄養

サンゴ礁の水は透明で美しいのですが、これがじつは大きな問題をはらんでいるのです。

サンゴ礁には動物がものすごくたくさんいます。ということは、サンゴ礁には餌が豊富にあることを意味しています。われわれ動物は、植物のつくり出したものを食べさせていただいています。米もそうだし、牛肉だって、牛が草を食べてつくったもの。だから元をたどれば食べものはすべて植物由来。デンプンなど、植物が太陽の光をあびて光合成により作り出したものを、私たち動物は食べさせていただいているのです。

サンゴ礁にたくさんの動物がいるということは、サンゴ礁には、光合成する植物がたくさんいるだろうと想像できます。海の中で光合成するものは藻類です。北の海だったらコンブやホンダワラなどの、藻類の立派な林があります。ところがサンゴ礁では、いくら探しても藻類の林など、見あたりません。

水中で光合成する藻類としては、もう一つ、植物プランクトンがあります。水中を漂っているごく小さい藻類です。珪藻《けいそう》や渦鞭毛藻《うずべんもうそう》など、いろいろな仲間がありますが、どれも顕微鏡を使わないと見えないほど小さなものです。この微細な藻類が太陽の光を受けて光合成します。

ところがサンゴ礁の水は非常に透明でしたね。ということは、植物プランクトンもサンゴ礁にはあまりいないということです。だって、プランクトンのような小さな粒子がたくさん水中に浮いていれば、水が濁ってしまいますから。

水が透明ということは、水中に食用となる有機物の粒子もあまり含まれていないということでもあります。サンゴ礁や、それをとりまいている外洋の海水中には、栄養となるものが乏しいのです。栄養分が貧弱なのを貧栄養《ひんえいよう》と言いますが、熱帯の海は貧栄養。きれいだけれども、とても暮らしにくい環境なんですね。事実、サンゴ礁のまわりの外洋には、それほど生物はいません。

なのに、サンゴ礁には、ものすごくたくさん生物がいます。一体これはどういうことなのでしょう？

褐虫藻との共生

この謎を解いたのが日本の生物学者の川口四郎、一九四四年のことです。川口先生は、サンゴの体の中に小さな褐色の球がたくさん含まれていることに気づきました。大きさは一〇〇分の一ミリ。顕微鏡でなければ見えません。この褐色の球を取り出して海水中で飼育したところ、形をかえ、殻を分泌して身にまとい、鞭毛という細い毛を二本生やして泳ぎだしました。この姿を見れば、これが何ものかがわかります。渦鞭毛藻という植物プランクトンの一種です。植物プランクトンがサンゴの体内に入っていたのです。

この藻類は褐色をしており、褐虫藻《かっちゅうそう》と呼ばれています。褐虫藻はサンゴの細胞の内部に棲んでいます。たくさん入っていましてね、細胞の半分が褐虫藻で埋まっていることすらあります。だから、サンゴは半分植物だともみなせるもの、サンゴの林は、褐虫藻の林でもあるわけです。これでサンゴ礁に植物を見かけない謎が解けました。植物はサンゴの中に隠れていたのです。

サンゴは動物です。褐虫藻は藻類、広い意味での植物です。二つは全く違った生物です。違った生物が緊密な結びつきをもって一緒に生活しています。こういう現象を共生と呼びます。

サンゴと褐虫藻は共生しています。共生していると、どんないいことがあるのでしょうか。

究極の楽々生活

サンゴは共生すると、いいことが、いろいろあります。最大の利益は、褐虫藻から食べものをもらえることです。

われわれの場合、主食は米や麦という炭水化物ですよね。これに相当するものを褐虫藻が光合成してつくりだし、それをたっぷりとサンゴに与えてくれます。たっぷりもたっぷり、褐虫藻が作った食べもののの、なんと九割近くをサンゴに与えてくれるのです。

炭水化物は主食にあたりますが、副食の方も、サンゴは褐虫藻からめんどうをみてもらえます。必須アミノ酸といって、タンパク質をつくるためには、どうしても摂取しなければならないアミノ酸がありますが、それを、褐虫藻が提供してくれるのです。

結局、バランスのとれた食事をふんだんに、褐虫藻は用意してくれるわけで、これはサンゴにとって、非常にありがたいことです。

褐虫藻は、くれるばかりではなく、逆にいらないものを取り除くという形でも、サンゴの役に立ってくれます。

サンゴは動物ですから、とうぜん、排泄物を出します。これは窒素化合物ですね。これを肥やしとして褐虫藻がもらいうけます。だから、サンゴはトイレに行かなくてもいい。褐虫藻がその場で処理してくれます。

サンゴは動物ですから、呼吸します。呼吸で吐き出した二酸化炭素を、褐虫藻が光合成で使ってくれます。逆に光合成で生じる酸素を、サンゴは褐虫藻からもらいます。だからサンゴは、呼吸もあえてしなくていいんです。

私たちがあくせく働くのは、食べものを手に入れるためです。サンゴにはその心配がありません。その上、トイレに行く必要もなく、呼吸の心配すらいらないわけで、これは究極のらくちん生活ですね。こんな生活が、褐虫藻と共生することにより、可能になったのです。すごい！

石造りの巨大マンション

サンゴは褐虫藻から莫大な利益を得ています。では逆に褐虫藻の方は、サンゴと共生していると、どんないいことがあるのでしょう？

その筆頭は、安全な家に棲まわせてもらえることです。褐虫藻は、サンゴの体の外に出て行くことも、ないわけではないのですが、実際には外を泳いでいることは、ほとんどありません。ふらふら泳ぎ漂《ただよ》っていれば、動物プランクトンに食べられる危険があります。

サンゴは硬い石のコップをつくって、その中に棲んでいます。石の家は安全。褐虫藻もその中に棲まわせてもらっていますから、やはり安全です。

この家は硬いだけじゃなく、さらに安全のための装備が備わっています。サンゴはイソギンチャクやクラゲの仲間、つまり刺胞《しほう》動物の仲間です。この仲間はみな刺胞をもっています。クラゲに刺されますよね。この刺すのが刺胞です。刺胞は一〇〇分の一ミリほどのごく小さいカプセルで、この中から毒針が飛び出していって刺さり、そうして、動物プランクトンを捕まえて食べます。

サンゴの家は石造りの上に、刺胞という飛び道具まで備わっているのですから、ものすごく堅固な要塞です。この中にいれば、サンゴも、そして褐虫藻も、きわめて安全。じつはこの要塞、安全なだけではないんですね。褐虫藻が光合成しやすいように、ちゃんと配慮しながら、サンゴは石の家を建てているのです。

それをお話しするには、まず、そもそもサンゴはどんな体の作り方をするのかを、説明しておかねばなりません。

サンゴは、ごく小型のイソギンチャクと思えばいいものです。イソギンチャクもサンゴも、一個の個体をポリプと呼びます。ポリプの形はイソギンチャクもサンゴも同じ。イソギンチャクとは磯にいる巾着《きんちゃく》袋。上に口があって中ががらんどうの円筒形の袋状で、口のまわりに触手という細い手が何本も生えています。触手の先端に、刺胞がたくさんあり、これで獲物をつかまえて食べます。

イソギンチャクのポリプは直径が数センチから大きいものは一メートルもあり、ポリプ一個で独立して暮らしていますが、サンゴのポリプはごく小さく、一センチ以下。サンゴではポリプが何匹も集まって、群体をつくっています。

サンゴの一生は卵と精子とが受精するところから始まります。それからプラヌラという幼生になって海の中を泳ぎ漂い、しばらくすると、海底に沈んで着底して変態し、ポリプになります。これが、体のまわりにコップ形の石の家をつくります。

この一個のポリプは脇腹から芽を出したり、体を二つに分裂させたりして、自分の隣に、自分そっくりのポリプを作り出します。これは形も瓜二つだし、遺伝子もまったく同じ。つまりクローンです。親のポリプと新しくできたポリプとは体の一部がつながっていて、情報や栄養のやりとりができます。

ポリプはどんどん新しいポリプを作って行き、全体として、大きな群体となります。テレビでよく見る木の形や塊状のサンゴがこれ。たくさんのポリプが集まって棲んでいる石造りのマンションが、あの木や塊なのです。一個のポリプは小さくても、群体は一〇万個以上のポリプが集まって直径が数メートルに達するのもまれではありません。数世紀にわたって成長し続けているという伝説をもつ巨大な群体では、直径が一〇メートルを超え、数百万個のポリプをもつといわれています。

サンゴが死んでも、この石造りのマンションは残り、それが貝殻などとともに固められて、サンゴ礁という岩礁になります。

褐虫藻への配慮

サンゴはたくさんのポリプからなる石造りのマンションを建てます。さてここから、先ほどの共生の話題に戻ります。この石造りのマンションの中に褐虫藻が棲んでいるのですが、褐虫藻が光合成しやすいように、サンゴは群体の形を作っているのです。サンゴは、より日当りの良い方向へと、マンションを建て増ししながら成長します。そうすると、褐虫藻の光合成量が増えるからです。

サンゴの群体の形には、木の枝の形や葉っぱの形をしたものが多いのですが、葉っぱのような平たい形は、表面積が広く、たくさんの日光を集めやすい形です。木の枝の形は、丈が高くなり、海底に固着している面積あたりにすると、より多くの日光を集められる形です。サンゴは動物ですから、木や草の形をとる必然性はないのですが、褐虫藻にたくさん日光が当たるように配慮して、木や草のような形になっているのです。

この石造りのマンションには、他にも褐虫藻への配慮がみられます。

熱帯のギラギラした太陽は、藻類にとって両刃の剣です。光合成に十分な光を与えてくれますが、有害な紫外線も強い。赤道上空では紫外線を吸収するオゾンの層が薄いし、海水の層も紫外線をあまり吸収してくれません。

生物にとって、紫外線は有害です。殺菌灯に紫外線ランプが使われているのはこのためです。植物の場合、強い紫外線が当たると葉緑体が破壊され、光合成できなくなってしまいます。

サンゴは紫外線を吸収するフィルター物質（マイコスポリン様アミノ酸）をもっています。これを褐虫藻の上に置いてやる。すると紫外線がカットされた後の光が褐虫藻に当たるので安全です。サンゴは、日当り良好、紫外線カットフィルター付きのサンルーフのあるマンションに、褐虫藻をすまわせてやっているのですね。

今、紫外線が問題だと言いました。しかし普通の光、つまり可視光も、あまりに強すぎると、光合成に悪影響を与えます。そこでサンゴによっては、紫外線のみならず強い可視光をもカットする物質をもつものがいます。この物質は蛍光タンパク質で、褐虫藻より上側に存在していて、光を反射したり、光をより波長の長い安全なものに変換したりすることによって、下の褐虫藻を守ります。

同じ蛍光タンパク質を、違った形で使うサンゴもいます。光が弱い場合です（ここまでの話は、日光が強すぎる場合）。

サンゴが見られるのは水深の浅い場所です。太陽光は水中を進んで行くうちに、どんどん吸収されて弱まります。水深一〇〇メートル以深ではサンゴはみられません。光が弱すぎて褐虫藻が光合成できないからです。

浅いところのサンゴでは、蛍光タンパク質は褐虫藻より上側にあるのですが、より深いところのサンゴでは逆で、蛍光タンパク質が褐虫藻の下に位置しており、いったん褐虫藻を照らして通り抜けてきた光を反射して下から再度褐虫藻を照らし返します。こうして少ない光をより有効に使えるようにしているのです。サンゴはじつにこまめに、褐虫藻のめんどうを見てやっているのですね。

ちなみにこの蛍光タンパク質は、下村脩先生がクラゲで発見されたGFP（この発見でノーベル賞をとられました）の仲間です。

効率よい栄養素のリサイクル

ここまでは褐虫藻が、サンゴから素敵な家を提供してもらっているという話でした。褐虫藻は栄養面でもサンゴから恩恵を受けています。燐《りん》や窒素という、熱帯の海で不足しがちな栄養分をサンゴからもらえるのです。

植物は光と水と二酸化炭素があれば、主食である炭素化合物をつくりだすことができますから、食べる心配はほとんどないのですが、それ以外の栄養素については、やはり体外から取り入れねばなりません。人間が植物を栽培する場合には、肥料として与えてやることになります。

肥料の三大要素が、窒素・リン・カリウムです。ただし海水中にカリウムはたくさん含まれていますから、褐虫藻にとっては、窒素とリンの二つが問題。窒素はタンパク質をつくるのに必要ですし、リンは、遺伝子であるＤＮＡをつくるのに必須です。

リンと窒素。サンゴ礁や、サンゴ礁をとりまいている外洋の海水中には、これらがあまり含まれていません。だから藻類や植物プランクトンの生育が悪いのです。

サンゴは動物プランクトンをつかまえて食べ、リンや窒素を手に入れます。食べたら排泄しますが、排泄物にはリンや窒素が含まれてきます。その排泄物を褐虫藻はサンゴの体の中で直接貰い受けます。直接ですから無駄が出ません。栄養素の効率のよいリサイクルが成り立っているのです。これが共生していることの良い点です。

不要なものを活用しあう

サンゴが捨てたものを褐虫藻が利用するのは、リンや窒素だけではありません。サンゴが呼吸の結果吐き出す二酸化炭素を、褐虫藻は光合成の原料として利用します。海水中の二酸化炭素の濃度は、あまり高くはありません。だから二酸化炭素をサンゴからもらえれば、褐虫藻にとって非常にありがたい事態となるのです。

ただしこういう言い方をすると、「どうせ捨てるのだから、お使いになるならどうぞ」というスタンスでサンゴは二酸化炭素を渡しているように聞こえてしまいますが、じつはそんなものではないようです。サンゴは海水中から、わざわざエネルギーを使って二酸化炭素を体内に取り込んで、褐虫藻に渡すこともしています。

こんなふうに、サンゴは褐虫藻を、じつにこまめにめんどうをみてやっています。おかげで褐虫藻はどんどん光合成をし、そうして作った食べものを、気前よくサンゴにくれます。共生関係がたいへんにうまくいっていますが、その大きな要因がリサイクルです。お互いに不要なものを活用しあいます。

粘液——みんなの食べもの

サンゴは褐虫藻からたっぷりと栄養を貰い受けているのですが、もらったもののうち、サンゴが自分の成長にあてるのは一パーセントほどです。残りの半分を、自分の生活に必要な支出にあて、あとの半分は粘液を作る費用にあてています。

サンゴは大量の粘液を分泌して、体の表面をすっぽりと覆っています。なにせ、自分の収入の半分近くを粘液にあてているのですから、粘液はよほど重要に違いありません。粘液は口のまわりにある細胞から分泌されます。分泌されたばかりの粘液は透明で、サンゴの表面にぴったりと張り付き、食品のラッピングフィルムのように体を覆います。

こうするのには意味があります。サンゴは海底にじっとしていますから、砂粒などのゴミが体の表面に降り積もってきます。体の表面に堆積物がたまれば、光が体の中に入りにくく、褐虫藻の光合成の妨げになります。粘液のフィルムで覆っていると、ゴミがみな、フィルムにくっつきますから、しばらくたって汚れがひどくなったら、それを剝《は》ぎ落として、新しいフィルムに貼り替えてやればいい。粘液のフィルムは、体を清潔に保つための、使い捨てのラップフィルムなのですね。サンゴはフィルムを定期的に貼り替えます。たとえばあるハマサンゴは、満月ごとに貼り替えています。

粘液のフィルムは、清潔に保つ役目以外に、体をくるんで保護する役目も果たしています。大潮の時、浅いところにいるサンゴは、水面から外に出てしまうことがありますが、その時には、大量の粘液を分泌して体を覆います。粘液には保水能力がありますから、これで、体が乾燥してしまわないようにしているのです。また、とつぜん砂などの粒子がたくさん降り注いできたり、高温や低温、雨などによる海水の塩分濃度の低下などが起こっても、サンゴはさかんに粘液を分泌して身を守ります。

粘液は炭水化物やタンパク質が連なった高分子でできており、他の生物たちの良い食物になります。

サンゴの体から剝がれ落ちた粘液は、海水中を漂い、その半分以上はすぐに海水に溶けます。粘液が溶けた海水は栄養がありますから、その中で、バクテリアがさかんに増殖します。それが動物プランクトンのよい餌になって動物プランクトンが増える。するとそれを食べて、より大きな動物が増え、それをもっと大きな動物が食べて、というふうに食物連鎖が進んでいきます。

一方、海水に溶けなかった粘液は集まって塊状になり、やがて海底に沈みます。そして海底に棲んでいる底生バクテリアの餌となり、そのバクテリアが底生動物たちの餌となっていきます。このように、粘液は水中を泳いでいる生きものも、水底《みなぞこ》の生きものも、どちらも養っています。

サンゴ礁にはじつにさまざまな生きものが棲んでいます。ところが、サンゴ礁をとりまいている外洋には、あまり生物がいません。外洋の水は貧栄養だからです。サンゴ礁は海のオアシスと呼ばれています。生きものに乏しい砂漠の真ん中に、そこだけいっぱい生きものがいるオアシス。それにたとえられるのがサンゴ礁です。

サンゴ礁のさまざまな生きものたちを養っている食べものは、元をたどれば、褐虫藻が作り出したものです。サンゴと褐虫藻のたぐいまれな共生と無駄のないリサイクルが、生物多様性にあふれたサンゴ礁生態系を作り出しているのです。

第二章　サンゴ礁と共生

サンゴガニ――居候の恩返し

前章で、サンゴと褐虫藻の共生が、サンゴ礁という、きわめて生物多様性の高い生態系を作り上げる基礎となっていることを見てきました。サンゴ礁での共生現象は、この他にも面白い例がたくさんあります。そこで、さらに共生の話をします。

まず、サンゴと共生しているカニの話をしましょう。

サンゴ、とくに木の枝の形のサンゴの上には、いろいろな動物が棲んでいます。なにせ、繁った枝は、隠れるにはもってこいの場所です。それに硬い石でできているのですから、台風がきてもびくともしません。きわめて安全です。

安全なすみかだけではなく、サンゴは食べものも用意してくれます。サンゴは大量の粘液を分泌して体の表面を覆っていますが、これがなかなか栄養価の高いものですから、これを食べていれば、まかない付きの石造りのマンションに住んでいるようなもの。らくちんです。

こういうらくちん生活を享受している動物の一つにサンゴガニがいます。甲羅の幅が一センチほど。赤紫色でつるつる光った、きれいなカニです。ハナヤサイサンゴの枝の間に、夫婦で住んでいます。

サンゴガニは、サンゴのポリプの表面をこすって粘液を集めて食べます。このカニは、先端がブラシみたいになっている特別な脚をもっており、これで粘液を上手に集めます。

サンゴガニは、食事もすまいもサンゴから提供してもらっています。普段はサンゴにおんぶにだっこ。居候です。でも、サンゴに緊急事態が発生すると、日頃お世話になっている恩を、ちゃんと返します。

緊急事態とは、サンゴが捕食者に食われそうになったときです。こんなことはめったにありません。サンゴは安全な石の家に棲んでいます。だからこそ、日当りの良い場所(つまり開けっぴろげで隠れていない場所)で、じっとひなたぼっこして、褐虫藻に光合成をさせていられるんです。

でも、サンゴにも天敵がいるんです。オニヒトデです。直径が六〇センチにもなる超大形のヒトデで、体中が毒の棘《とげ》で覆われています。これがサンゴを骨までしゃぶります。オニヒトデは、ふだんはほとんど目につきません。あまりいないんです。でも、時々大発生してサンゴを食いつくしてしまいます。今から三〇年ほど前、沖縄はじめ世界中のサンゴ礁がオニヒトデにやられてしまいました。

オニヒトデはどうやって石のよろいで身を守っているサンゴを食べられるのでしょうか。まずオニヒトデは、サンゴの上に馬乗りになります。ヒトデの口は下側についているのですが、この口から胃袋を反転させてサンゴの上に吐き出し、胃の内側をサンゴに押しつけて、消化液を出してサンゴの上にかけます。こうされると、サンゴがいくら石の家に引っ込んでいても、溶かされてしまうので、ダメ。オニヒトデは、溶けたものを、胃から吸収します。全部溶かして食べおわったら、オニヒトデは胃袋を体の中にしまい、次のサンゴに移っていく。オニヒトデが立ち去ったあとには、しらじらとしたサンゴの骨格だけが残されます。

オニヒトデが大発生すると、サンゴが、累々と白骨をさらすことになるのですが、ハナヤサイサンゴをはじめ、何種かのサンゴは、食われずに生き残っていることに気づいた人がいました。パナマで研究していたピーター・グリンさんです。なぜ食われなかったのかを調べたところ、サンゴガニのおかげだったのです。

サンゴガニは、ふだんはサンゴの枝の間に隠れています。ところが、オニヒトデが近づいてくると、出てきて、両方のはさみを振り上げます。そしてはさみでオニヒトデを押し返そうとしたり、オニヒトデの棘をはさんで上下にゆさぶったり、はては、はさみでオニヒトデに切りつけたりします。これだけやられるとオニヒトデはあきらめて退散していきます。

オニヒトデが、サンゴガニを食べることはありません。だからサンゴガニのこの行動は、自分の身を、直接守るという意味はありません。でもサンゴが食われてしまったら、食事の供給源が断たれるのですから、これを守るのは、カニにとっても死活問題です。

そうそう手近にかわりのサンゴがあるわけではありません。さがし歩いている間に捕食者に食われてしまう危険も高いし、かわりのサンゴが見つかったとしても、たいてい先住者のサンゴガニがいます。サンゴガニは自分の棲むサンゴを、縄張りとして守りますから、よそ者は追い払われてしまいます。だからいま棲んでいるサンゴを守らなければ、それはサンゴガニにとって死を意味するでしょう。そこで懸命にサンゴを守るのですね。

サンゴガニのこの行動には、「へー、こんなことやるやつがいるんだー！」とびっくりさせられますが、じつは、やはりハナヤサイサンゴに棲んでいるサンゴテッポウエビも、同様のふるまいをします。このエビもカニも、縄張りをもっており、縄張りに入ってきたよそ者を追い出す行動を、本来もっています。その行動の発展形として、こういうオニヒトデを追い出す行動が進化してきたのだろうと考えられています。

サンゴ礁にはサンゴテッポウエビ以外にも、いろいろな種類のテッポウエビがいます。テッポウエビは大きなはさみをもっており、これをパチンととじると、本当にパチンと大きな音がして、水流がビューッと起こります。それで「鉄砲エビ」と呼ばれます。では次に、ハゼと共生しているテッポウエビの話をしましょう。

ハゼは番犬――高い捕食圧ゆえのハゼとエビの密接な協力

本州の南から沖縄にかけて、浅瀬の砂地にはハゼと共生しているテッポウエビがいます。

砂地という環境は、岩場とちがい、逃げ隠れできる岩かげや穴がありません。砂の下にもぐり込む以外、身の隠し場所がないのです。そこで多くの砂地の動物は、砂に穴を掘ってその中で暮らしています。ニシキテッポウエビもその一つです。

このエビは体長が二〜四センチ。はさみを使って砂にトンネルを掘って巣穴にしています。このトンネルは、直径二〜三センチで長さが一メートル以上。表面から斜め下に向かって走って、数本に枝分れしており、この中にエビは一匹もしくは雌雄一対で棲んでいます。

ハゼもこのトンネルに棲まわせてもらっています。なにせこれだけ大きい巣穴ですから、五センチ程度のハゼ一匹くらい同居させても、問題にならないでしょう。

ハゼは棲まわせてもらっているお礼に、エビの番犬の役目を果たします。

ニシキテッポウエビは視力が弱く、ほとんど見えません。ですから、巣の外に出た時は、危険きわまりないんですね。でも食事をとるためには外に出なければなりません。エビは巣穴近くで表面の砂をすくいとって、中に入っている有機物を食べます。その時にハゼが番犬役を務めます。

ニシキテッポウエビと共生しているのは、ダテハゼやヒメダテハゼです。ハゼはいつも巣穴の入口にしっぽをさしこむような姿勢で見張りに立っています。エビは穴の中からのぼってきて、出口に近づくと、体の倍もある長い触角でハゼの尾びれに触ります。すると、外に危険のないときには、ハゼは尾びれをゆっくり動かして安全のサインを送ります。そこではじめて、エビは穴から外に出ます。

穴の外にいるときには、エビは絶えず一方の触角でハゼのひれに触っています。危険が近づくと、ハゼはひれをはげしく震わします。このサインがくると、エビは即座に後ずさりして、尾から穴の中に逃げ込みます。どんな時にハゼが危険信号を送るかというと、大形の魚と、中形でも動物を食う魚が近づいた時です。

このような、ハゼとエビとの密接な協力関係は、「サンゴ礁」と「砂地」という、二つの条件が重なって進化してきたものだと思われます。サンゴ礁域は捕食者の数が多い、つまり捕食圧が高い。そして砂地は穴を掘る以外に身を隠す方法がない。ですから、自力で穴を掘れないハゼにとって、他の動物の穴に居候するのは安全でうまい方法です。穴の入り口をふさいで、ハゼがエビの穴に入れないようにしてやると、ハゼはたちまち他の魚に食われてしまったという実験があります。それほど捕食圧が高いのです。

テッポウエビの方にしても、捕食圧が高いですから、番犬と暮らせば大きな利益が得られます。巣穴は広く、ハゼがいても問題ない。それでこんな面白い共生関係が進化してきたのだと思われます。

一生のどの時期から、ハゼとエビとは共生関係に入るのでしょうか？　小さなエビの掘った穴には、小さなハゼが棲んでいます。そして、卵を生む時期が、エビとハゼとで同じなのです。このことから考えると、卵からかえって穴を掘り始めたエビの、その穴に、同時期に生まれたハゼが、すぐに棲みつくと思われています。コンビを組むエビの種類とハゼの種類は、ほぼ決まっています。相手を選ぶにあたっては、ハゼは目で見て選び、エビは匂いで相手を選んでいるようです。

掃除共生

次に、サンゴ礁の魚たちがお互いを認識して協力している例をお話ししましょう。掃除魚と魚たちの共生です。

ホンソメワケベラという一〇センチ足らずの魚がいます。ライトブルーの地に、目から尾にかけて黒線が一本というかなり目立つきれいな魚です。この魚は、他の魚の体の表面にとりついている寄生虫を食べて生活しています。魚の体をきれいにしてやるので、掃除魚と呼ばれています。

掃除魚は、サンゴ礁の浅瀬の、どこからもよく見える岩の上にいます。いつも決まった場所で店開きをしていて、客のくるのをまっています。

客の魚は、掃除魚に近づくとポーズをとります。体をじっとさせ、いつもは細かく動かしているひれの動きも止めて掃除しやすいように広げます。口先を上に向けて立ったり、逆に、さかだちしたりして、特別なポーズをとる魚もいますが、これは、ひれの動きを止めてしまったので、重心が後方にある魚は上を向き、前に重心のある魚は逆立ち姿勢になってしまうのだと思われます。つまり死んだような姿勢で、掃除魚に、完全に身をゆだねているのですね。口も開いています。

ポーズをとるとき、色を変える魚もいます。魚の表面にとりついている寄生虫は、橈《かい》脚《あし》類や等脚《とうきゃく》類といった小型の甲殻類（エビやカニの仲間）が多く、こういう寄生虫は、普通、魚と同じ色で、目立たないようになっています。ところが、魚がポーズしながら普段より白っぽい色に変わるため、寄生虫が目立つことになります。

掃除魚はポーズしている魚に近づいていって、寄生虫をかじりとります。また、バクテリアに感染しているうろこやひれを食いちぎります。ここまですれば、掃除屋というよりはお医者といった方がぴったりする働きぶりですね。

小形の魚なら一、二回つついて掃除は終了ですが、大形の魚だと、もっと念入りに面倒をみます。鰓《えら》の中も掃除します。掃除される魚は、鰓ぶたをもち上げ、掃除魚が掃除しやすくしています。

さらに、口の中にまで入り込んで掃除をする場合もあります。口の中の、上あごのところに、よく寄生虫がくっついています。これは始末に困るものでして、体の表面についている寄生虫なら、岩に体をこすりつけてとるという手もありますが、口の中だと、そうもいきません。寄生虫にしてみれば、口の中にいれば、魚が食べたものをそのまま横取りすればよいし、大形の魚は他の魚に食われることもなく、口の中は、食事付きの安全なすみかです。

でも、とりつかれた魚にとっては、いい迷惑。そこで魚は口をあけ、掃除魚に中に入ってもらいます。ハタのような魚を食う魚であっても、掃除魚は口の中に入って行って寄生虫をとります。もちろん、その時に、ハタが口をとじて掃除魚を食うこともできるのですが、そんなことは決してしません。口をあけたまま、じっとしています。サンゴ礁の魚たちは、掃除魚の大切さをちゃんと知っているのですね。

また、掃除魚が、どこで店開きをしているかも覚えていて、繰り返し訪ねてきます。

実験的に、掃除魚を捕まえて隠してしまっても、掃除魚が店開きしていた場所に来て、魚たちはポーズしながら並んで順番待ちをしています。

掃除魚の方も、客のことをよく知っています。好きな客と嫌いな客とがいるらしく、いくらポーズしても、なかなか掃除してもらえない魚がいたり、やっと順番がまわってきたと思ったら、別の客がきたので途中で放り出されることもあります。

掃除魚は好きな客を見つけると、波のように泳ぐダンスを踊って、客の気を積極的に引きます。好きな客の中には、神経質でじっとしていないモンツキアカヒメジのような魚もいるのですが、掃除魚は胸びれや腹びれで相手の背びれをなでて落ちつかせて、掃除します。

掃除魚の勤務時間は一日四時間ほど。二〇〇〇匹以上もの客の掃除をするそうです。同じ魚が日に何度も掃除魚を訪ねてくることもあります。

こういう掃除魚と客の魚との間の共生、これを「掃除共生」と呼びますが、こんな共生関係がなりたつのも、掃除魚の棲んでいる熱帯域は、寒い地方とくらべて寄生虫の量が格段に多いからです。たとえばグレートバリアリーフには約千種の魚がいますが、その魚についている寄生虫は、外部寄生虫だけで二万種を下らないと言われています。だから寄生虫を掃除するのは、よいビジネスになるのですね。

魚のみならず、エビにも掃除屋が数種類います。どの掃除エビも体長が数センチで、その体長と同じくらい長くて白い触角をもっています。この長くて白い触角が、掃除エビだという共通のサインです。

掃除エビも決まった場所で店を開いています。店はたいてい岩穴の入口です。エビは岩穴の中から、この白くて長い触角を外に出してゆすります。白い触角は水中ではかなり目立ち、これを目ざして魚が集まってきます。エビははさみで、寄生虫や傷ついた組織などを魚から切りとります。場合によっては皮膚の下に埋まっている寄生虫を切り開いて取り出します。ここまでやれば外科医と呼んでもさしつかえないでしょう。

掃除魚と同様、掃除エビが頭の付近に近づけば、魚は鰓ぶたをもち上げて中の鰓を掃除させますし、口の中も掃除させます。ウツボをはじめ肉食の魚もエビの客ですが、口の中に入ったエビを食べることはありません。魚同士のみならず、魚とエビとの間にも掃除共生の関係が成り立っています。

ホンソメワケベラは青い地に黒いラインの入った、よく目立つ姿をした魚ですが、この青い地に黒いラインという制服が、掃除魚の世界共通のサインです。

ホンソメワケベラはインド洋と太平洋のサンゴ礁域に広く分布しています。しかし、ハワイでは近縁のベラが掃除魚として働いており、このベラもホンソメワケベラと同じ制服を着ています。

カリブ海にも掃除魚がいます。これはハゼ科の魚で、ベラとはまったく違う仲間ですが、やはり青地に黒いラインという同じ制服です。だからカリブ海の魚にホンソメワケベラを見せると、それまで一度も会ったことなどないのに、ちゃんとポーズをとります。また、生まれて一度も掃除魚を見たことのない魚も、掃除魚を見せると、ポーズをとりますから、サンゴ礁の魚は生まれながらにして、掃除魚の制服を知っているようです。

このように、世界共通の掃除魚のサインが確立していると、それを悪用するものが出てきます。

ミナミギンポという、ホンソメワケベラそっくりの魚がいます。そっくりですから、まちがえて、ミナミギンポの前でポーズをとる客の魚が出てきます。無防備にポーズしている客に、この偽ものは襲いかかって、粘液や皮膚やうろこを囓《かじ》りとって食べます。他のものに似るのを擬態といいます。ミナミギンポはホンソメワケベラに擬態して、相手を安心させて攻撃するのです。

ホンソメワケベラに擬態している別の魚もいます。ニセクロスジギンポです。色といい形といいそっくりの上に、ホンソメワケベラの客引きのダンスまでまねて踊ります。だから間違えて、にせものの前でポーズする魚が出てくるため、そのひれを食いちぎって食べることもあるようですが、そんなことはめったにありません。そんな利益よりは、身の安全を確保できるという利益をニセクロスジギンポは享受しているようです。掃除魚は他の魚に食われないので、ホンソメワケベラに似ていると安全なのです。

ニセクロスジギンポの擬態は完璧に近いものです。掃除魚の制服は世界共通ですが、地方によっては、別の紋様がおまけに入っている場合があります。たとえばトゥアモツ諸島のホンソメワケベラはオレンジ色の斑点をもっており、そして、その地方のニセクロスジギンポにも、ちゃんとオレンジの斑点があります。

イソギンチャクとクマノミ——相利共生で共存共栄

最後にクマノミとイソギンチャクの共生にもふれておきましょう。これは数年前にアニメで話題になりましたね。魚と無脊椎動物の共生で最もよく知られたものです。

海中で彼らに会うと文句なしに美しいと思います。シライトイソギンチャクの白い触手がゆらゆらとあやしげに水に動き、その触手に朱色にきらめくクマノミが抱かれているさまは、蠱惑《こわく》的とも表現できます。なんとなく怪しげで危険な匂いが漂ってきます。

実際、クマノミとイソギンチャクは、かなり危険な関係なのですね。イソギンチャクはサンゴと同じ刺胞動物門に属し、刺胞、つまり毒のつまった飛び道具をもっています。触手の先端にたくさんの小さな毒針が格納されていて、餌になる動物がくると、これを発射して捕まえます。イソギンチャクの刺胞はサンゴのものよりずっと強力で、普通、魚がイソギンチャクに触れれば、たちまち刺されて、触手にからめとられて食べられてしまいます。それなのにクマノミは美しい衣裳を着て触手の間にゆったりと浮かんでいるのです。どうしてこんなことができるのでしょうか。

クマノミはスズメダイの仲間です。この仲間の多くは、生きたサンゴや岩などを根拠地として、そのまわりを自分のなわばりにしています。とくにクマノミ亜科のものは、すべてが、イソギンチャクか生きたサンゴを根拠地にしています。

日本では、イソギンチャクに棲んでいるクマノミの仲間は六種知られています。最も北まで棲んでいるのがクマノミで、黒潮の洗う紀州や伊豆七島でも見ることができます。共生相手のイソギンチャクにはいろいろあり、クマノミ一種に限っても、九種の違ったイソギンチャクと共生関係に入ることが知られています。ただしよく見る組合せは限られており、クマノミは、沖縄ではシライトイソギンチャクとペアを組んでいることが多く、三宅島ではサンゴイソギンチャクがペアの相手です。

これらのイソギンチャクは、本州の海岸でふつうに見かけるタテジマイソギンチャクやウメボシイソギンチャクのように、縮めば梅干程度というけちなものではありません。直径が三〇センチから六〇センチ、ときには一メートルにもなるものがあります。彼らはサンゴ同様、体内に褐虫藻をもっています。こんなに大きく成長できるのは褐虫藻のおかげだと思われます。

クマノミは多くの場合、雌雄一対で、イソギンチャクの中に入っています。イソギンチャクのまわり六〇センチほどを、クマノミは自分の縄張りとしており、侵入してくる同種の魚や、ベラやスズメダイ、チョウチョウウオ、ときには大形のブダイまでも追い払います。追い払うときには顎《あご》でカチカチと威嚇音を出し、それでも逃げないときには突きかかっていきます。クマノミは縄張りの外に出ることはほとんどなく、捕食者が近づくと、イソギンチャクの中に逃げ込みます。

クマノミはイソギンチャクと一緒に棲むことで、いろいろな利益をこうむっています。

第一の利益は、安全なすみかを提供してもらっていることです。カクレクマノミをイソギンチャクから取り出し、一〇メートルはなれたところで放した実験の結果、イソギンチャクまで帰り着けたものは三分の二だけ。残りは、ハタなどの魚に食われてしまいました。泳ぎのあまりうまくないクマノミの仲間は、イソギンチャクの保護がなければ生きていけません。

クマノミは、必ずイソギンチャクの中にいますが、イソギンチャクの方は、クマノミの入っていないものもよく見かけます。だからクマノミが、一方的にイソギンチャクにお世話になっているのだ、つまりクマノミはイソギンチャクに寄生しているのだという説が、昔はありました。

しかし、野外でクマノミの入ったイソギンチャクと、入っていないものとを観察し続けると、クマノミのいる方が、三倍も早く成長するし、死亡率も低いという報告があり、イソギンチャクもクマノミから大いに利益を受けているようです。

イソギンチャクの受ける利益としては、クマノミがイソギンチャクを食べにくる魚を追い払ってくれること。チョウチョウウオの仲間はイソギンチャクをかじって食べますが、クマノミは、彼らを追い払います。

イソギンチャクの上には、小さなエビやカニなどの甲殻類が棲んでいます。これらはイソギンチャクの寄生虫の可能性が高いのですが、それをクマノミは食べてしまいます（クマノミの主食は小さな甲殻類のたぐい）。クマノミとイソギンチャクは、両方ともに利益を得る、相利共生の関係なのです。

さて、最初の疑問、なぜクマノミはイソギンチャクの刺胞に刺されないのか、に戻りましょう。答えは、粘液。クマノミの体は厚い粘液で覆われており、これが刺されない秘密だと思われています。クマノミの体から粘液をふきとってしまうと、刺されてしまうからです。

ただし、粘液で覆われていれば、いつも刺されないかというと、そうではなく、自然界でペアを組んでいない相手には刺されてしまいます。

クマノミの卵も、自然界でペアを組んでいるイソギンチャクには刺されません。クマノミはイソギンチャクのすぐ足元にある岩の表面に卵を生みます。イソギンチャクの触手の届く範囲に卵がありますから、卵を食べにくるものたちが入り込めず、安全です。卵は主として雄が世話します。胸びれであおいで新鮮な海水を卵に送り込み、酸素不足にならないようにします。

孵化《ふか》した稚魚はしばらく海中を漂う生活を送ります。この時期のものはイソギンチャクに興味を示しません。無理にイソギンチャクに触れさせると刺されて死んでしまいます。ところが、体に白線が二本見える時期になると、クマノミは相性のいいイソギンチャクに引きつけられるようになります。イソギンチャクの出す化学物質に誘引されるらしいのです。この時期のクマノミを、相性の良いイソギンチャクに触れさせても、刺されません。

相性のいいイソギンチャクに対しては、クマノミは必要な時期には刺されなくなるように、生まれつきプログラムされているようです。そしてこの刺されないことには、粘液の層が関係していると考えられています。

じゃあクマノミは、相性の良いイソギンチャクを、どうやって知るのでしょう。クマノミは棲んでいるイソギンチャクの足下に卵を生みますが、生まれた子供はそのイソギンチャクの匂いを覚えていて、同じ種のイソギンチャクと共生するようです。サケが生まれた川の匂いの記憶をもとに戻っていくように、幼いときに刷り込まれた記憶をもとにして、相性の良い相手をみつけるのだと考えられています。

第一章、第二章を通して、サンゴと褐虫藻をはじめ、サンゴ礁でのさまざまな共生について見てきました。サンゴ礁はさまざまな生物がいるからこそ、それらの間に、思いもよらない共生関係が進化してきたのです。そして、その共生が生み出す豊かな世界が、サンゴ礁のさらなる生物多様性を生み出してきたのでしょう。

第三章　生物多様性と生態系

サンゴ礁は危機

サンゴ礁にはさまざまな生物が棲んでいます。生物多様性が非常に高い場所です。面積では世界の海の〇・一パーセントしか占めていませんが、海水魚の三分の一はサンゴ礁の種です。漁業でも、世界の漁獲高の一〇パーセントをサンゴ礁が占めています。

それだけ生物多様性が高いサンゴ礁なのですが、今や、危機に瀕しており、世界のサンゴ礁で健全なものはたった四分の一だけ、のこり四分の三は危機的状態という、すさまじい惨状です。

こうなったのは、すべて人間の活動が原因です。サンゴ礁域に住んでいる人の活動も、そこには住んでいない人間の活動も、原因となっています。

まず直接的な原因から見ていきましょう。サンゴ礁域の人口が増え、また人々の生活レベルが上がって、多くの物資を消費するようになりました。それに由来するものです。

人口増加に対応するために新たに農地を拓《ひら》き、住宅や工場のために土地を造成すると、今まで緑に覆われていたかなりの部分で土がむき出しになり、雨が降ると土が流れて海に入ります。沖縄でも雨の日には、サトウキビ畑から流れ出た赤土の混じった水が、河口から沖へと流れ出ているのを目にします。赤土の粒子は小さいため沈みにくく、いったん沈んでも、海が荒れればすぐに舞い上がって、結局、海はしょっちゅう濁ったまま。おかげで光が射し込みにくくなり、褐虫藻の光合成量が下がることになります。

人口が増えれば、排水がどんどん海に流されます。これには有害な物質が混じっているかもしれません。とくに工場排水や農薬は問題です。

生活排水にも、肥料を溶かし込んだ農地からの水にも、養分（リンや窒素）がかなり含まれています。サンゴ礁の海水には養分がほとんど含まれていないため藻類が育たなかったのですが、これで事態が一変します。大形の藻類が育ってサンゴを覆い隠し、光を奪ってしまいます。また、植物プランクトンも発生して、それにより海が濁り、やはりサンゴに光が届きにくくし、ついにはサンゴが藻類に負けてしまいます。こうしてサンゴの海から藻類の海へと変わっていくのです。

増えた人口を養うため、魚の捕りすぎの状況がいたるところで生じています。草食魚を捕りすぎると藻類が繁茂して、やはり藻類の海になります。地方によってはダイナマイトを使って根こそぎ魚をとる漁法が今もって行われており、これはサンゴ礁そのものを破壊します。

サンゴ礁の島にも立派な飛行場が必要とされるでしょう。狭い島ですから、どうしてもサンゴ礁を埋め立てて作らざるを得ません。大形船の入る港を作るとなると、やはりサンゴ礁を破壊せざるを得ないのです。

以上は、サンゴ礁に住む人たちが関わる活動により、サンゴ礁に圧迫が加わっているという話。さらに加えて、人類全体の活動もサンゴ礁に圧迫を加えています。

二酸化炭素の多大な排出が原因です。これは温暖化と海洋の酸性化を介して、サンゴ礁に重大な影響を与えます。海洋の酸性化とは、増えた大気中の二酸化炭素が海水に溶けこんで海水がより酸性になることです。酸性化するとサンゴが骨を作りにくくなり、サンゴの成長が抑えられてしまいます。

そして大問題は地球温暖化です。

サンゴの白化という言葉は、お聞きになったことがあるでしょう。夏に海水の温度が異常に高くなると、サンゴの体から、共生している褐虫藻が抜け出ていく現象です。褐虫藻は褐色をしていますから、それが抜け出ると、サンゴが白っぽく見えるようになり、それで白化と呼ばれます。

褐虫藻はサンゴにとって、かけがえのないパートナーです。食糧の大半を褐虫藻からもらっているのですから、褐虫藻がいなくなったら、おおごとです。こういう状況が二ヶ月も続けば、サンゴは弱って死んでしまいます。

それほど長引かない場合には、褐虫藻はまた戻ってきて、サンゴは回復します。

一九九八年にひどい白化が見られました。この年は大規模なエルニーニョが起こり、海水温がとりわけ高くなりました。そして白化により、世界のサンゴ礁の、なんと一六パーセントが手ひどく破壊されてしまったのです。その後、回復したサンゴ礁もありますが、半分以上は、それっきりダメです。この調子で温暖化が進んでいくと、こういう大規模な白化がしばしば見られるようになるだろうと危惧されています。

白化は夏の異常高温時に起こるものです。普段より、わずか一～二度水温が高いと白化します。

ちょっと不思議ですね。サンゴにとって褐虫藻はなくてはならないパートナーです。そんな大切なものをたった一〜二度温度が高くなっただけで外に放り出すものでしょうか。それに、サンゴは熱帯の海にいるのですから、暑さには強いはずですよね。

でも、そうではないようなんです。どうもサンゴは、褐虫藻との共生関係が維持できる上限ぎりぎりの温度域で暮らしているというのが現実のようなのです。

共生が成り立つためには、サンゴも褐虫藻も、どちらにも利益がなければなりません。高温になると、光合成量は減る上に、褐虫藻のエネルギー消費量が増える。だから結局、サンゴがもらえる食糧が減ってしまいます。サンゴは褐虫藻のために、住まいの用意をはじめ、さまざまな出費をしていますから、それに見合うだけの見返りがなければ、共生関係は、すぐに解消されてしまうのでしょう。

こう考えると、共生というのは、じつに微妙なバランスの上に成り立っているものなのですね。そして、共生できなければサンゴが死ぬ。死ねば、サンゴの上で暮らしている生物たちも、みないなくなってしまいます。白化して死んだあとの海からは、あれだけいたカラフルな魚たちもいなくなり、藻類ばかりが繁茂《はんも》する、多様性の少ない海になってしまいます。だから結局、生物多様性というものも、きわめて微妙なバランスの上に成り立っているわけです。

一日一〇〇種が絶滅

地球生態系におけるサンゴ礁の役割として最大のものは、生物多様性を生み出し、それを保っていることでしょう。生物多様性の最も高いのが、海ではサンゴ礁、陸では熱帯雨林なのです。

ところがサンゴ礁でも熱帯雨林でも、またその他の地域でも、世界規模で生物多様性が失われてきています。

二〇一〇年は国際生物多様性年、一〇月に名古屋で「生物多様性条約第10回締結国会議」（COP10）が開かれました。生物多様性の減少に、何とか手を打たなければ、という会議です。

現在、知られている種の数はほぼ一八〇万種。それが、毎日、約一〇〇種ずつ絶滅していっている。生物多様性がどんどん失われている。こんなことは長い生命の歴史の中で、なかったことです。

これは大変だ、というわけで、一九九二年、リオデジャネイロの地球サミットで「生物多様性条約」が調印されました。これは生物学の用語と概念で書かれた初めての国際条約です。その条約の締結国会議の一〇回目が、名古屋で開かれました。

この条約の目的の第一番にあげられているのが生物多様性の保全です。なぜ生物多様性が大切なのでしょうか。

私たちは日々、生物たちのお世話になっています。

食物が生物です。米や麦や野菜、豚、牛。衣服も生物由来です。木綿や絹やウール。松や檜《ひのき》のような建築資材も生物。ペニシリンは青カビからとられたものですが、医薬品も生物由来のものが多い。それに、犬や猫には癒されるし、バラは美しい。

こんなふうに、日々、さまざまな生物のお世話になっているのですが、それでも、種の数としては大して多くありません。せいぜい一〇〇種程度。だからそれだけをちゃんと確保しさえすれば、あとは少々種の数が減っても、どうってことないさ、と、何となく思っちゃいますよね。

地球には、未知のものも含めると三〇〇〇万種もの生物がいるようです。三〇年後にはその五分の一が絶滅するかもしれないと危惧されていますが、そうなったとしても、まだ二〇〇〇万種以上も残っているのです。

だから大丈夫さ、と思うのは浅はかですね。

ある地域には、さまざまな生物が棲んでいます。それらの生物と、それが棲んでいる環境をひっくるめて、生態系と呼びます。生態系の中で私たちは生きています。そして、生態系がさまざまな恵みをわれわれに与えてくれています。自分の生きている生態系がなくなったら、私たちは生きてはいけません。そして、その生態系が安定して存在するには、生物多様性が大切です。ですから、生態系がわれわれに与えてくれる恵みとは、生物多様性が与えてくれるものだともいえるのですね。

生態系による四つのサービス

生態系はどんな恵みを与えてくれるのでしょうか。生態系の恵みを「生態系サービス」と言っています。これは大きく四つに区別できます。

一、**供給サービス**

米や肉や絹や木材のように、生態系が人間の暮らしに直接役立つ物品を提供してくれるサービスが供給サービスです。

このサービスにおいて、生物多様性が大切だということは、分かりやすいでしょう。多様な種がいるから、様々な物をわれわれは受け取ることができます。

生物の多様性として、三つのレベルが区別できます。種の多様性、遺伝子の多様性、生態系の多様性です。種が多様だったら、よく探せば、役立つ生物が見つかる可能性が高くなるでしょう。たとえば、現在使われている医薬品のうち四割が生物由来であり、新しい薬はまだまだ多様な生物の中に隠れているに違いありません。生物多様性は将来の医薬品の宝庫なのです。

種の多様性だけでなく、遺伝子の多様性も大切です。同じ種でも、遺伝子がまったく同じというわけではありません。遺伝子にも多様性があります。栽培している品種に、野生のものの遺伝子を導入すれば、もっと優れた品種が作れるかもしれません。

多様な生物たちは多様な遺伝子をもっており、それらは将来役に立つ可能性を秘めています。だからこれらは資源と考えることができます。遺伝資源を持続的に使えるようにしよう、そしてその資源から利益があがったら、製品を作った企業だけがもうけるのではなく、資源を提供した場所に住んでいる人々にも利益を公平に分配しようではないかというのが、生物多様性条約の目的として掲げられています。

二、基盤サービス

以上のように直接人類に物をくれる以外にも、生態系はきわめて大切なサービスをしてくれます。その一つが基盤サービスです。植物は光合成をして、動物たちのエネルギー供給源となっています。さらに光合成によって二酸化炭素を取り入れ、酸素を排出する。だから大気のガス組成が今のように保たれているのです。植物は雨水を自分のところに蓄えておいて、徐々に葉から蒸散させます。だから大気の湿度も保たれているのです。落ち葉や土壌生物たちが土をつくってくれ、植物の根が、土壌が流れて行かないように保っています。

これら、エネルギーの供給、水の循環、大気のガス組成の維持、土壌の形成とその保持、炭素や窒素などの栄養素の循環、など、すべての生物が存在するための基盤となる環境を、今あるような形に保ってくれているのが生態系の基盤サービスです。

サンゴ礁で言えば、褐虫藻が、サンゴ礁生物にエネルギーを提供し、さらにサンゴが岩でできた地形を作り出して生物たちにすみかを提供しています。人間だって、サンゴが作った島の上で暮らしています。生きる土台を生物から提供していただいているのです。

サンゴは、カルシウムと二酸化炭素から、大量の炭酸カルシウムの骨格をつくり出します。毎年、陸から海に流れ込んでくるカルシウムの約半分を、サンゴ礁が炭酸カルシウムとして沈殿させると見積もられており、地球のカルシウムバランスにも重要な役割をサンゴ礁が、はたしています。

三、調整サービス

もう一つの基礎的なサービスに、調整サービスと呼ばれるものがあります。森は天然のダムとも言われ、大雨が降っても、洪水をふせいでくれます。森はまた、気候の急激な変化をやわらげるし、土砂崩れも防いでくれます。サンゴ礁が島の周りをとりまいていることにより、天然の防波堤になってくれます。マングローブ林もそうです。河口域の生態系は、生活排水を浄化してくれ、汚染物質を無毒化してくれます。

このように、人間社会に対する自然や人間からの影響を、生態系が緩和してくれるサービス、これが調整サービスです。

病気や害虫の制御も重要な調整サービスです。

生物多様性が高いと、調整サービスにおいても有利なことは、想像しやすいでしょう。調整サービスとは、いろいろ外部から攪乱《かくらん》が加わっても、それほど大きな影響が出ないようにするということ。病気や害虫が発生したり、外来生物が侵入したり、気象の大きな変化や山火事などの異変が生じても、これに抵抗できる生物が、生物多様性が高い場合には存在している可能性が高いわけで、そういうものたちの活躍で、生態系の安定が図られるでしょう。また、攪乱を受けて生物の数が減った後でも、多様性が高ければ、成長の早い種が存在するでしょうから、生態系の回復も早いと考えられます。だから結局、生物多様性が高いと、生態系が安定するのです。

四、文化的サービス

もう一つのサービスとして、文化的サービスがあります。レクリエーションの場を提供してくれたり、癒しや、美的や知的な楽しみを与えてくれるサービスです。

レクリエーションとして、サンゴ礁は抜群ですね。ホテルから眺めているだけでもサンゴ礁を訪ねて来た甲斐がありますが、潜ってみれば格段に素晴らしい世界が開けます。審美心も、生物に対する知的好奇心も、スポーツとして肉体的にも、そして海の中の神秘的な雰囲気による心の安らぎも、すべてを満足させてくれるのがダイビングなのです。そして潜ったあと、泡盛を飲みながらゆっくりとくつろぐ時間。南の島は時間に追われる都会人をやさしく癒してくれます。

生態系サービスの価格

以上、四つの生態系サービスについて見てきました。

供給サービスのように、食料や衣服など、直接、物を生態系から受け取ったら、私たちは当然お金を支払います。しかし物を受け取らないサービスの場合は、ものすごく大切なことをしてもらっているのに、お金を支払っていません。タダでサービスを受けていると、サービスを受けていることにすら気づかない、ということになりがちで、ここが大変問題なところです。

そこで、すべての生態系サービスを、お金に換算しようという考え方が出てきました。たとえば、日本のサンゴ礁のサービスは、漁業として年間一〇〇億円、レクリエーションとして二四〇〇億円。防波堤の役割として八〇億~八〇〇億円と見積もられています。サンゴ礁に限定せず、全世界の生態系のすべてのサービスを見積もった研究もあります。年間、少なくとも一六兆〜五四兆ドル。これは世界のＧＤＰにほぼ匹敵します。生態系は、われわれが生きていく上で、これほどまでの巨額のサービスを提供してくれているのです。

生態系サービスをお金に換算すると、どれほどのものかがよく分かるようになります。だから、今まで自然の価値をきちんと価格評定してこなかったのが、生態系の劣化と生物多様性の損失を起こすことになった根本原因だとまで言われています。つまり、万事がお金の世の中なのだから、ちゃんとお金に換算しなかったのがいけなかったのだ、というわけです。

そう言いたいのも分かるけれど、こういう考え方そのものに根本的な問題があると思うのですね。

価格は、どれだけ人の役に立つかで決まるのですから、価格万能主義に立てば、人間にとって役に立たないものは、価値がない、保全する必要もない、ということになります。

私はシカクナマコというナマコを研究していますが、これは食べられないし、可愛くもない、われわれの役に立ちそうなところは何もない動物です。だから価値がないと言ってしまっては、シカクナマコの立つ瀬がありません。他の多くの生物たちだって同じでしょう。だから、人間に役に立つから、サービスしてくれるから大事なんだ、保全するのだ、という発想は、生物多様性を大切にする理由付けとして、ふさわしいとは思えません。

生態系は自分自身の一部

そもそもお金というものは、次のような発想の下に成り立っているものです。この鉛筆だって、ノートだって、消しゴムだって、皆、違うものです。質が違います。だからノートで消しゴムの代わりはできません。それぞれ、かけがえのないものです。

でもそう考えてしまうと、簡単には交換ができない。そこで、本当は皆、質が違うかもしれないが、一応、質的には同じだとみなしてしまおう、そして違いは量だけなんだと考えてしまいます。そうして、それぞれに値札という量を示す札を貼っていく。すると交換できるようになる。これが貨幣経済です。質を量に変換するのが貨幣経済。

これはとても便利な考え方ですが、この考えがあまりに行きすぎると、お金さえ出せば、何でも買えると思うようになりがちです。

かけがえのなさは、お金では評価できないのですね。個々の生物の種は、それぞれが長い進化の歴史をもった、かけがえのないものです。交換はききません。お金を出しても買えません。こういうかけがえのないものに価値を置くという発想がないと、多様な生物それぞれを大事にする姿勢は出てこないでしょう。

生物多様性という言葉には、「多い」という形容詞が入っていますから、多いことがいいことなんだ、だったらどれだけの多さが必要なのか、どれだけ減少したら問題になるのかと、量の問題としてとらえたくなるかもしれませんが、そうではなく、多様だということは、それぞれの生物がかけがえがない、質がみな違うのだと、質の問題としてとらえるべきだと思います。

生態系とは、かけがえのない生物たちが、互いに関係を持ち合って、複雑にからみあったシステムをつくっているものです。だからこうしてできた生態系も、もちろんかけがえのないものです。そして、さまざまな生態系が関係し合って、地球の生物圏ができており、その中で私たち人間も生きている。地球の生物圏は、かけがえのないものです。お金を出せば代わりがあるというものではありません。

生物多様性を大切にする発想として、もう一つ忘れてはいけないものがあります。多様な生物たちとつながっていなければ、人間は生きていけない、だから多様な生物を大切にしよう、という発想です。そもそも生物というものは、単独では生きていけません。

今、大変な速度で生物が絶滅していっているのですが、その多くは、私たちが直接その生物を殺しているのではありません。その生物が棲んでいる生態系を破壊してしまうから、結局、生物たちが死に絶えていくのです。生態系を破壊するとは、物理的環境の破壊も意味するだろうし、他の生物たちとのつながりの破壊も意味するでしょう。

自分の暮らしている生態系がなくなったら、自分自身もなくなるとすれば、ある意味では、生態系は自分の一部だと言ってもいいと私は思います。いろいろな生き物とつながりをもっている、そのつながりそのものも、自分だと考えてもいいのではないでしょうか。こう考えると、生態系を大切にするとは、自分を大切にすることになります。

生物多様性と南北問題

生物多様性の保全。これは、じつに困難な課題です。なぜなら、西洋近代が作り上げてきた今の世界の矛盾が、ここに象徴的に出ている問題だからです。

矛盾の第一として、南北問題があげられるでしょう。生物多様性を守るといって、一番多様性の高いのは熱帯雨林とサンゴ礁で、どちらも熱帯、つまり南の貧しい国です。自然を開発して、なんとか経済的に豊かになろうという南の国の希望を、生物多様性が減少するからダメだと、頭から押さえ込むわけにはいきません。南の国の人たちには生活がかかっています。それに対して、北の国の人たちは、そもそも都会暮らしで、生物多様性の減少など、それほど身につまされる話ではなく、開発をあきらめてもらう代償として南の国にお金を支払ってまでも、地球の生物多様性を守ろうという気持ちには、なかなかなれません。

南北問題のもう一つの側面が、生物多様性条約で問題にされています。この条約の目的として、遺伝資源の利用から生じる利益を公正に配分するという項目があります。新しい薬が、めずらしい生物から作られたとしましょう。作るのは北の国、珍しい生物が棲んでいるのは南の国と、相場が決まっています。その新薬からあがった利益は、製薬会社が独占せずに、生物の提供国である南の国にも分けようというのが、生物多様性条約の目的の一つです。これにアメリカが納得せず、まだこの条約を承認していません。

豊かさの転換

生物多様性問題の背後にある、別の問題点も指摘しておきましょう。科学や技術は、今の世の中を作り上げるのに絶大な力をもっています。この科学や技術が前提としている思想に問題があると私は思うのですね。

先ほど質と量という話をしましたが、科学は基本的に質を扱わないものです。量だけで考える。すると数式が使えて、きわめて客観的にみえる学問になっていきます。理科系だけではありません。経済学もそうです。

すべてのものは同じ質であり、違いは多いか少ないかだけ。つまり価値を測るものさしは、ただ一本。すると、量の多い方がより豊かだ、より良いのだ、という価値観になりやすいのですね。だから、より幸せにと思えば、どんどん量を増やす。そして地球の資源や生物多様性を食いつぶすことによって量を増やしているのが現実です。量だけで価値判断するやり方を、このあたりで卒業しないと地球がもちません。これからの私たちの暮らしは、より量を減らす方向に向かわざるを得ません。

量を減らせば貧乏になってしまうと、どうしても私たちは考えがちで、だからこそ、これだけ環境問題・資源の枯渇が叫ばれても、量を減らせないのです。でも、量の減少、即、貧乏とは、私は必ずしも思っていません。そう思う理由一。ここで、サンゴ礁のことを思い出して下さい。熱帯の貧栄養の海、つまり貧乏な海を、多様な生物にあふれた豊かな海にサンゴ礁は変えていました。サンゴと褐虫藻の共生と、その間の資源のリサイクルにより、乏しい環境でも、きわめて豊かに暮らせるようになっているのがサンゴ礁。共生とリサイクルが貧しいものを豊かに変える手立てだというのは、きわめて示唆的です。

もう一つの理由。「量が多い＝豊か」という今の生活が続けられなくなっても、みじめと感じなくてもよい方法があるのです。量から質へ、豊かさのとらえ方を変えればいいのです。

多様だ、というのは質がいろいろあるということです。量はほどほどでいいから、質の違ったものがいろいろあることが豊かなのだと、豊かさの定義を変えればいい。生物多様性を大切にするとは、多様とは豊かなこと、だから大切にするのだという発想に基づいて、生物多様性も議論されるべきだと私は思っています。

歴史あるものを大切に

科学的発想の問題点はまだまだあります。

科学は普遍性を大切にします。いつでもどこでも何にでもあてはまる法則、それが科学では重要なのです。ところが生物は個別主義でご当地主義です。異なる環境ごとにそれに適応した異なる種がいます。そしてそういう種は、進化の長い歴史の産物なのであり、歴史には偶然がからんできます。だから多様な生物はそれぞれが特殊なのであって、普遍性を大切にする科学の目から見ると、そんな物は重要性が低いと思われがちなのですね。

でも、かけがえがないとは特殊だということです。長い歴史をもった特殊なもの、そういうものに価値があるのだという発想が、生物多様性を大切にする根底にあるべきです。

これをサンゴ礁に引きつけて言えば、進化という歴史の中で、独特のものが形づくられて来たのが今、私たちが目にしているサンゴ礁の多様な生物たちなのであり、これは価値あるものとして大切にすべきです。そして、南の島には独特の文化があり、それを育んできたのがサンゴ礁です。生物も文化も、歴史をもつ独特のものは、それだけで価値ありとすべきです。

科学について、さらに一言。科学は、世界を単純化して眺めるものです。世界の構成要素も単純化し、要素間の関係も単純化します。科学が質を問わないのは、構成要素を単純化するためです。

ところが生態系は、質の異なる非常に多くの生物たちが相互に複雑な関係を結んでできあがっているものです。これは科学が苦手とする相手なのですね。なにせ単純に量に換算して数学的に処理することが困難です。

それに、そもそも数学そのものが成り立つのかも、疑問なのですね。4－1＝3という算数は、いつでも成り立つとされていますが、生態系の場合、かりに四種の生物がおり、そのうち、一種でもいなくなったらその生態系そのものが成り立たないということはあり得るわけで、4－1＝0になってしまいます。

サンゴと褐虫藻が一緒になると、ものすごい働きをしますから、1＋1＝10や100という答えになります。

こんなふうですから、生物多様性に関しては、数字にしっかりと裏打ちされたはっきりしたことが言えません。とくに予測に関しては、数式を使ってシミュレーションをするから予測が立てられるのであり、数式がうまく使えないと、かなりあいまいな予測しかつきません。でも、はっきりしないから何もしなくてもいい、という判断を下さないようにしようではないか、というのが、こういう問題に対する態度だと思います。

自然も私を見つめている

科学の立場は、見るものと見られるものとの間が、きっぱりと分かれています。私という見る主体があり、見られる物という客体が別にあるのです。私という主体は、物たちの遥か上方から、いわば神様の視線で物を見て操作します。私と物との間には距離がありますから、こちらが何をやっても、やられた相手がやり返してきて、こっちが危険に陥るなんてことは考えなくていい。こういう態度に慣れてしまうと、自然に対して何をやっても自由だし安全だと考えがちになります。それが、自然から大きなしっぺ返しを受ける今のような事態を作ってしまいました。

こういう、見る私と見られる物、という関係で自然とつきあうのには、別の危険もあります。私が一方的に物を見ているわけですから、結局、自分にとって関心の持てる面のみを見て、相手をこき使っていくという形に、どうしてもなりがちです。今の生物多様性の議論にしても、まさにそんな感じなんですね。

人間に役立つという一方的な側面だけを集めて、今の私たちは自分の世界を作っています。でもそんな世界に住んでいると、自分自身も功利主義だけの薄っぺらな人間になり下がるおそれがあります。

私にとって相手が役に立たないということは、相手が私を否定したり私に抵抗したりする側面をもっているということです。そういう側面をも含めて相手と向き合う時に、世界も私も薄っぺらではない充実したものになる。生物多様性を大事にするとは、こういう姿勢で生物たちと向き合うことだと私は思うのですね。

サンゴ礁の海に潜ると、たくさんの目が私を見ているような気がします。事実、魚たちは見ているんです。彼らの縄張りに入り込んだら、つついて追い出しにくる魚もいます。こういう経験を持つと、自然に対して、そうそう自分勝手なふるまいはできないなあと、思えてくるものです。これはじつにかけがえのない経験であり、そういう貴重な経験を与えてくれる場として、サンゴ礁をはじめ、自然を大切にしなければいけないと私は思っています。

第四章　生物と水の関係

水問題

前章では生物多様性の問題を取り上げました。これは遺伝資源の枯渇・保全に関わることです。生物に関係する資源不足として、水も大きな問題になっています。日本ではそれほど実感が湧きませんが、水不足や水の汚染も、地球環境問題として世界各地で深刻化しています。本章ではこの問題を概観した後、そもそもなぜ生きものにとって水がそれほど大切なのかを考えます。

今や世界的規模で水不足が起こっています。原因は人口の増加。増えた人口を養うために、より多くの穀物を育てなければなりません。農作物を作るのには、大量の水が要ります。川や湖からどんどん取水した結果、黄河やアムダリヤ川というあれほどの大河でも、水不足で、流れが途中で途切れる断流現象が起こっていますし、アラル海は失われ、チャド湖も面積が激減しました。各地の湖や湿地が干上がっています。

地下水もさかんに汲み上げられ、灌漑に用いられています。おかげで地下水の水位が下がり、より深いところから汲み出す事態になっています。深い場所の水ほど、地中に滞在していた時間が長く、より多くの塩類を溶かし込んでいます。これを使い続けると、農地に塩類がたまり、植物が育たなくなります。これが塩害です。また、地下水には砒《ひ》素《そ》など、有毒物質が含まれていることもあり、これも大きな問題になっています。

地球は水惑星ですから、水はふんだんにあります。でも水の九七・四パーセントは海水で、農耕には使えません。使えるのは淡水。そしてその多くは氷として極地にあり使用不可。川や湖のように、農耕に自由に使える淡水は、地球の水の〇・〇一パーセント以下と、ごくわずかです。

なぜ農耕に水が要るのでしょうか。それは、生物が水でできているからです。体の半分以上が水です。

人間の場合、全体重の六二パーセントが水の重さです。ヤギだと七六パーセント、魚のタラなら八二パーセント。あのカシャカシャしたゴキブリでさえ、六一パーセントが水なのですから、見かけによらずずいぶんと水っぽいんですね。クラゲにいたっては九五パーセントが水。だから干からびたら、ほとんど何も残りません。

植物でも似たようなものです。草は八～九割が水。木でも半分以上が水。トマトの果実にいたっては九四パーセントが水です。だからこそ植物を育てるには水が要るのです。植物は水を根から吸収します。体に入った水は、いわば水タンクのような体の水分補給にも、もちろん使われますが、さらに大切な別の用途にも用いられます。植物は光合成によりデンプンを作りますが、デンプンの原料となっているのが水と二酸化炭素。食物の原料が水なのです。米やパンを食べれば、間接的に水を食べたとも言えるわけですね。

木は何十メートルもの高さに生長しますが、体の高い部分まで水を運び上げるのにも、水が必要です。植物は水を押し上げるポンプの原動力として水の蒸散を使っているのです。水は葉から水蒸気として逃げていく（蒸散する）のですが、この際に、下の水を上へと引っ張り上げます。葉からの蒸散はまた、日光で熱くなった葉を冷やすのにも使われます。

これらに使われるため、根から入った水の九割以上は、葉からの蒸散で失われてしまいます。さらに、言うまでもないことですが、川から取水した水が、すべて植物のところまで届くわけではありません。途中でいろいろと無駄が出ます。半分以上が失われてしまうのです。こんな状況ですから、植物を育てるのには、水が大量に要るのですね。

米一キログラムを作るのに三・六トンの水が必要だと見積もられています。なんと三六〇〇倍もの水が要るのです。他の植物も似たようなもので、小麦もトウモロコシも約二〇〇〇倍、大豆だと二五〇〇倍の水が必要です。

ごはん一膳で風呂二・五杯分の水が使われています。炊事・洗濯・風呂・トイレと、毎日ずいぶん水を使っているように感じるでしょうが、家庭で一人が一日に使う水の量は〇・二四トン。この二倍の水が、茶碗一杯の米を作るのに必要なのです。

日本は大量の穀物を輸入しています。これはその数千倍もの水を同時に輸入しているとも言える事態です。日本の食糧自給率は四割。それだけでも由々しき大問題ですが、水という視点に立てば、世界では不足している水を、日本という水の豊かな国が、これほど多量に輸入していいものかという、道義上の問題があることは、覚えておくべきでしょう。

なぜ生命は海で生まれたか

生物の体は半分以上が水。四捨五入すれば「生物は水」です。それほど生物は水っぽいものなのです。

だからこそ、水を飲まなければ生きていけません。「飲まず食わず」と並べて言われますが、人間の場合、八〇日間食べなくても大丈夫だったという記録がある一方で、飲まずに生きられるのは五日ほど。水はこれほどまでに不可欠です。

なぜ生物はこんなにも水を含んでいるのでしょうか？

これは歴史的な経緯によるものでしょう。生命は太古の海で生まれました。太古の海に溶けてただよっていた有機物が、薄い膜で外界とのしきりをつくって自己を確立したのが生命のはじまりだと考えられています。だから「膜で包まれた水」が生物の基本なのです。

この膜に包まれた小さな水溶液こそ細胞です。細胞は、今でも私たちの体を構成する基本単位となっています。細胞の膜は油（脂質）でできています。油は水をはじくので、水を仕切るには格好の材料です。

それではなぜ生命は海で生まれたのでしょうか？

これには水という特別な物質の性質が関係しています。水はいろいろなものを溶かします。そして水に溶けると、ものはよく化学反応を起こすんですね。生命とは活発な化学反応が、たえず起こっているものです。だから、化学反応の起こりやすい水という環境は、生命が生まれるには、うってつけだったのです。

水に溶かすと化学反応を起こしやすいのは、すでに体験済みでしょう。学校での化学の実験のとき、使った薬品は瓶に入っていて、粉とかつぶつぶ状のもの、すなわち固体だったでしょう。そして、それをそのまま使うことはしませんでしたね。まず、薬品を水に溶かして、水溶液を作ります。そして溶液同士を混ぜ合わせると、化学反応が起こる。水溶液にすると反応するのです。海は水溶液の状態です。この化学反応の起こりやすい状態の下で、生命が発生しました。

なぜ水溶液だと化学反応が起こりやすいのかを考えておきましょう。水には多くの物質を溶かす能力があります。水に溶けると、結晶になっていたものもイオンに分かれたり個々の分子になったりとバラバラになり、水の中を熱運動により動きまわれるようになります。だから分子同士がぶつかりあって反応しやすくなるのです。また、乾燥している時には丸まっている高分子もほどけて長く伸び広がって、やはり化学反応が起こりやすくなります。たえず化学反応が起こっているのが生きている状態ですから、海という反応の起こりやすい水溶液から生命が始まったのは、もっともなことです。そして今でも、生物は水溶液の状態を保ち、活発な化学反応を起こし続けています。水が断たればたちまち死んでしまうわけで、水は命の泉なのです。

水素結合と水

水ほど何でもよく溶かすものは、他に見あたりません。それは、水の分子構造から説明できます。

水の分子はH_2O、酸素原子を真ん中にして、二個の水素原子が、角度一〇四・五度の二等辺三角形をなすように配置されています。酸素と水素とは、互いに電子を共有しあっているのですが、酸素の方がより強く電子を引きつけるので、水の分子内に電荷のかたよりができ、酸素側が少々マイナス（−）に、水素側が少々プラス（+）に帯電します。

このような帯電している水分子が、食塩の結晶と出会ったとしましょう。食塩は+のナトリウムイオンと−の塩素イオンとが静電的な力で引き合って結晶になっています。

その結晶の間に水の分子が割って入り、水分子の－側が＋のナトリウムイオンと引き合い、水分子の＋側は－の塩素イオンと引き合うという形で、結晶をバラバラのイオンに分けて溶かします。水に溶けるということは、溶けた分子が水の分子とごく弱く結びついているということです。

水が物を溶かすメカニズムはこれだけではありません。水分子は「水素結合」という特別な結合をつくることにより、他の分子と弱く結びついて溶かしてしまうこともあります。たとえば酸素原子や窒素原子などと、水分子は弱く結びつくのです。水素原子には、酸素原子や窒素原子のように電子を引きつけやすい原子の間に入って、これらの原子間を橋かけして弱い結合をつくる性質があります。こうしてできる結合を「水素結合」と呼びます。水の分子それ自体が酸素と水素とが結びついたものですから、ある分子が酸素や窒素の部分をもっていれば、水の水素が仲立ちになり、その分子と水分子の間に水素結合が形成され、二つは弱く結びつきます。このようにしていろいろな物質が水に溶けるようになります。

ここで環境問題に関連して一言。水の、多くのものを溶かす性質が、生命の基礎をなしているのですが、よく溶かすとは、生命にとって危険な物質もよく溶かすことをも意味しています。飲料水の汚染や酸性雨など、水に関わる環境問題がしばしば生じるのは、水が汚染物質を溶かしやすく、そして生物が水に大きく依存しているからです。

水が物をよく溶かすメカニズム——ちょっとしちめんどくさい話でしたが、ここで出てきた水素結合が、とても重要なんですね。よく溶かすこと以外にも、水のさまざまな特別の性質を理解する鍵が水素結合です。

水素結合は、水分子同士の間にも起こり、水の中では、水分子は互いに弱く結びついています。そしてこのことから、水の特別な性質がいろいろと出てくるのです。

沸点が高いのもその一つです。水の沸点は一〇〇度。これは驚くべきことなのですね。水の分子量は一八。こんな小さな分子だと、沸点はマイナス八〇度程度です。だから室温では気体の状態になっているのが普通です。ところが水の場合、分子同士が引き合っているから気体になりにくく、室温でも液体のままです。

液体であることは、生命にとって最も基本的な条件です。物質には固体、液体、気体の三つの状態がありますね。固体の状態では、分子と分子とが密にギュッと詰まっていて、分子は自由に動きまわることができません。だから他の分子とぶつかり合って化学反応を起こすことは困難です。

では気体ならどうでしょうか？　この場合、分子は自由に動きまわれるのですが、気体中では分子同士が非常に遠く離れており、ぶつかって反応を起こしにくい。化学工場では、気体の状態で化学反応を起こさせることがよくありますが、その際には高い圧力をかけて気体を圧縮し、気体分子同士の距離を小さくし、さらに高温にして分子の飛びまわる速度を上げて、化学反応をむりやり起こさせています。普通の温度・普通の圧力ではそうはいきませんから、気体の形の生命は難しいと思われます。

気体も固体もダメ。ところが液体だと、分子はある程度自由に動きまわれるし、分子同士の距離もそれほど離れていません。だから反応が起きやすく、水という液体が生命の基本となっているのです。

水は安定した環境を提供する

水は普通の温度では液体です。水を気化させて水蒸気にするには大量の熱を注ぎ込まねばなりません。水分子が水素結合によってお互いが弱く引き付け合っているためです。この結合を切ってやらなければ、気体になりません。だから蒸発しにくいのです。もし水が蒸発しやすかったら、小さな水たまりはすぐに干上がってしまうでしょう。大きな海だって地球的な長い時間の間にはなくなってしまったかもしれません。分子同士が弱く引き合って蒸発しにくいという水の性質は、生命をはぐくむ安定した環境を作る上で、重要なことでした。

安定した環境といえば、水には温めにくくさめにくいという性質があり、急激な温度変化から生きものを守ってくれます。温度が上がるとは、分子がより速く動き回るようになることです。水分子の間には水素結合があるので、たくさんの熱を注ぎ込まなければ動きまわれるようになりません。だから水は温めにくいのです。温めにくくさめにくければ温度変化が少なく、水中では温和な環境が保たれます。これも生命にとって都合の良い性質です。

氷が水に浮くのは、水の不思議な性質の一つです。四度の水の方が氷よりも重いから氷が浮くのです。この性質も安定した水環境を作る上で重要です。南極や北極では外気温は氷点下何十度にもなりますから、空気にふれる海の表面の水はすぐに凍ってしまいます。もし氷が水より重かったら、氷は下に沈み込み、新たに表面に出た水はまた凍って沈みと、どんどん海底に氷が積もっていき、ついには極地の海は全部が氷になってしまうでしょう。現実には氷の方が軽いので海の表面を氷が覆うことになり、氷が断熱材となって、下の水は外の寒さから守られています。固体である氷が軽いからこそ、水という液体の環境が安定して存在できるのです。

この、氷が水より軽いということにも水素結合が関係しています。普通、固体は液体より重いものです。分子同士がしっかりと結びついて構造を作るのが固体ですから、液体の時より体積が小さく比重が重くなるのです。氷のように逆に軽くなるのは、ほとんど例がありません。このようなことが起こるのは、水が液体の状態においても、水素結合により分子同士が結びついて構造をつくっており、この構造が氷の構造よりも密に分子が詰まったものだからです。

水分と活発さの相関関係

ここから、生物の話に戻りましょう。

多くの細胞は、中味の八五~九〇パーセントが水です。体の中で活発な化学反応の起こっている場所が細胞であり、そこがこんなにも水を含んでいるのです。骨や髪の毛や皮下脂肪のように、場所によっては水気の少ない部分があり、体全体でならしてみれば水分含量がヒトでは六〇パーセント程度に下がるのですが、これら水分の少ないところは死んだ部分だったり細胞の外に分泌された部分だったりで、こういう場所では化学反応は活発ではありません。化学反応の活発さと水分含量には、強い相関関係があります。

そのよい例が植物の種子です。種《たね》の含水率は五パーセント程度です。植物は種のまま何年でもそのままでいることができますが、その間、ほとんど化学反応が起きていません。水気が少ないから、起こらないのです。干からびさせて生命活動をストップさせているのが種の状態。この状態でなら、寒さや乾燥を堪え忍ぶことができます。そして環境がよくなり発芽するときには、大量の水を吸い込み、含水率が九〇パーセント近くになります。そうして活発に化学反応を起こして生長を始めるのです。

誕生から老化までの水分変化

私たちヒトも、水が多いと活発です。

ヒトも子宮という水環境の中で一生を始めます。そして生まれ落ちたばかりの赤ん坊は体の八〇パーセントが水です。成長するにしたがい水は少なくなり、成人では六〇パーセントになります。その内訳は、細胞の内部にある水が四〇パーセント、細胞の外部に存在する水が二〇パーセントです。水の三分の二は細胞の中にあります。

水分含量は二〇歳を過ぎても減少しつづけますが、おもしろいことに、細胞外と細胞内とでは、減り方に違いが見られます。細胞外の水は三十代以降ほぼ一定で変わらず、減少しません。減るのは細胞の中にある水の方です。これは年とともにどんどん減り続けます。細胞が生命活動の主な場であり、その水が老化とともに減って行くのです。

細胞内の水分が、年齢とともに減少するのですが、体が使うエネルギー量も、ほぼ同様に減少していきます。エネルギーを使わなくなるとは、活動しなくなるということです。水分が少なくなるのと活動度が下がるのとは、このような相関関係があります。やはり年をとるということは枯れていく、つまり水気がなくなっていくこと、そしてそれは不活発になっていくことなのですね。

リアクティブ、つまり化学反応（リアクション）が起こりやすい、それがアクティブなこと。リアクティブだからアクティブで、その基礎が水っぽいということなんです。

水と運動

水が生物のアクティブさと関わっているのは、これだけではありません。動物が活発に動きまわることに水が関わっているのです。そしてこれが、次章で取り上げる「生物は円柱形をしている」ということとも関係してきます。

動物の運動に水が関わるのは、ミミズなどの、硬い骨をもたない動物たちにおいてです。一方、私たちには骨がありますね。手や脚の中心には骨があり、この骨を筋肉が動かして運動が起こります。私たち骨のある脚をもつ動物からみると、ミミズのように脚もなければ硬い骨もないものが、どうやって運動していけるのか、疑問に思えませんか？　じつはミミズにも骨があるのです。骨といっても、硬い骨ではありません。水が骨がわりをしているのです。

まず骨のあるものの運動について説明し、それからミミズに話を進めていきましょう。私たちは筋肉を使って運動しますが、骨も運動には不可欠です。自動車にたとえれば、筋肉がエンジン、骨はトランスミッションと車輪に対応させられます。ただし、骨は単なる車輪ではなく、エンジンが動く上でも、必須のものです。

筋肉は細長い紐《ひも》のようなものです。縮むことのできる紐。紐ですから縮んで物を引っ張ることはできます。でも、伸びて押すことはできません。へにゃへにゃして、押そうにもくたっと曲がってしまい押せないのです。他のものを押せないだけでなく、いったん縮んだら、自力で伸びることもできません。

だから筋肉は単独では働けず、いつも別の筋肉とペアを組んで仕事をしています。

ご自身の脚を眺めてみて下さい。大腿骨《だいたい》と下腿骨《かたい》が膝のところで関節を作っています。この関節をまたぐようにして、脚を伸ばす筋肉が表側に、曲げる筋肉が裏側についています。伸ばす筋肉を一般に伸筋とよび、曲げる筋肉は屈筋とよばれます。伸筋と屈筋のペア、ひざの場合には、大腿四頭筋《しとうきん》が伸筋でハムストリングスが屈筋です。

屈筋が縮めば、ひざは曲がります。それと同時に伸筋は引きのばされています。逆に伸筋が縮めば屈筋は引き伸ばされます。引き伸ばされれば収縮する準備ができたことになりますから、次は伸ばされた方が縮む。こうして交互に縮んだり伸ばされたりしながら、繰り返し脚が動いて歩いていけるのです。屈筋と伸筋という互いに反対方向に脚を動かす筋肉がペアになっており、このような、反対方向に動かす筋肉のペアを拮抗筋《きっこうきん》のペアと呼びます。

拮抗筋のペアは、骨がなければ働けません。硬い骨がないと、拮抗筋の一方が縮んだだけでも全体がグチャッとつぶれてしまい、それでおしまい。筋肉はもう働けなくなってしまいます。骨があると、筋肉が縮んだ時、関節部で曲がりはしても骨全体の長さは変わらないので、反対側の拮抗筋は骨に沿って引き伸ばされます。伸ばされた筋肉は、次に働く用意ができています。

骨の役割は、筋肉の出す力を伝えて仕事をする、たとえばボールを蹴るという仕事をするとともに、相方の拮抗筋を引き伸ばして、次の収縮の準備をさせるという役割も果たしているのです。ですから骨はとても重要なんですね。

私たちは脊椎動物です。脊椎という骨を進化させたからこう呼ばれているわけで、脊椎はまさにわれわれの「顔」とも呼べるものです。脊椎は体の中心に一本、長軸方向に通っている骨の列です。関節を介していくつもの骨が連なって一本の棒のようになっています。この棒は関節のところで曲がりはしますが、全体としての長さは変わりません。このような「曲がりはするが、長さは変わらない硬い棒」が体の真ん中にあると、その左右に拮抗筋を配置すれば、体を左右に振って力強く泳ぐことができます。脊椎とそれにカップルした拮抗筋のシステムにより、脊椎動物は非常に速く泳ぐことができるようになりました。現在の脊椎動物の繁栄は、まさに脊椎という骨の進化にかかっていたのです。

静水系

多くの無脊椎動物は硬い骨格をもっていません。でもやはり筋肉を使って運動します。かれらはどうやっているのでしょうか？　答えは水。水が骨の代わりをしているのです。ミミズを例にとって説明しましょう。ミミズは細長い円柱形をしていますね。円柱の中央部はがらんどうになっています。つまり円筒形の体をもっています。このがらんどうの部分には水が詰まっています。水の詰まった大きな空間、これが体腔《たいこう》と呼ばれるものです。ミミズの体は中に水の詰まった風船のようなもの。円柱形のロング風船です。ロング風船に、水を詰めてふくらましたとしますね。これをギュッと握れば細くなり、その分、風船は長く伸びます。風船の中に入っている水の総体積は変わりませんから、握って細くすれば、その分、長くならざるを得ません。

体腔の断面積×長さ＝水の体積、これがいつも一定になるのです。細くなって断面積が小さくなれば、それだけ長さは長くなります。逆に風船を押し縮めれば、太くなります。

ミミズが這うところを見ると、太くて短くなったり、細長くなったりしながら、少しずつ前に進んでいきますね。

ミミズは円筒形です。円筒の壁が体壁です。体壁の一番外側の部分が薄い皮膚、そのすぐ内側に、筋肉が、円筒をぐるっと環のように取り巻いています。これが環状筋《かんじょうきん》です。筋肉はもう一種類あって、環状筋のさらに内側に、円筒の長軸方向に走っている筋肉がありま す。これが縦走筋《じゅうそうきん》。縦走筋と環状筋とが、拮抗筋のペアとなっています。

環状筋が縮めば、ちょうど風船を握った時のように、体の直径が小さくなり、水が前後に流れていって押しますから、体は細長く伸びます。この時、縦走筋も一緒に伸ばされます。

引き伸ばされた縦走筋は縮む用意ができていますから、次にこの縦走筋が縮めば、今度は、円筒は短くなり、円筒は中の水に圧されて太くなります。この時には環状筋の方が伸ばされます。これで環状筋は、また収縮できる状態になりました。

そこで環状筋が縮めば体は再度細長くなる。こんなふうにすれば、細長い状態と太く短い状態とを交互に繰り返すことが可能です。

もちろんこれだけでは体全体の移動は起こらないのですが、ちゃんと仕掛けは備わっています。ミミズの体表には毛が後ろ向きに生えているのです。この毛が引っかかるので体は前にしか移動しません。細長くなると体は前方に伸び、太く短くなる時には、体の後ろ側が前に引き寄せられます。だから結局、太くなったり細長くなったりを繰り返すと、体はどんどん前に進んでいくことになるのです。ちなみに毛の根元には小さな筋肉がついていて、毛の向きを反転させ、ミミズはバックすることも可能です。

縦走筋と環状筋は、一方が縮めば片方は伸ばされるので、これらは拮抗筋のペアとみなせます。脊椎動物の場合は骨を介して拮抗筋が働いていましたが、ここでは円筒の中に詰まっている水を介して拮抗筋が働いているのです。水が骨の代わりをするので、「静水骨格」（静水力学的骨格）と呼ばれます。

静水骨格を使うシステムが静水系です。体腔という水の詰まった空間、これを包んでいる壁の中に縦走筋と環状筋とを配置したシステムが静水系なのです。体壁という膜に包まれた水。この、どこにも逃げ場がなく静かに止まっていて、膜の壁に静水圧をかけている水。これが骨格として働いているシステムです。

単なる筋肉の塊だけでは効果的な運動はできません。体腔を発達させ、静水系というシステムを開発することによって、動物はより速い移動運動が可能になり、体腔をもった動物が進化の過程で成功をおさめました。今いる動物のほとんどが体腔をもっています。

われわれ脊椎動物の場合には、骨格としての体腔の役割は骨にゆずってしまったため、ミミズのように大きなガランとしたスペースはありませんが、やはり体腔をもっており、その中に肺や肝臓などの臓器がギッシリと詰まっています。

ミミズはゴカイなどと同じ環形《かんけい》動物の仲間です。違うグループの動物にも、体の中央に大きな体腔をもつものがいます。たとえば海岸の砂を掘ると出てくるユムシや、岩に孔《あな》をあけて棲んでいるホシムシなど。これらは静水骨格で体を伸び縮みさせて体の移動運動をします。

体全体の動きだけではありません。イソギンチャクが触手を伸ばすのも静水系ですし、ヒトデが歩くのに使う何百本もの小さい足も静水系で動いています。動物の動物たるゆえん、つまり動くことにも、水は大きく関わっているのです。

体腔が別の形で運動に関わっていることも述べておきましょう。私たちは食事後すぐに体を動かしても、食べものが胃から逆流してくるなんてことはありませんよね。これは胃が体腔の中に浮いており、体腔の水がクッションとなって、胴を曲げても直接胃袋が押しつぶされることがないからです。体腔をもたない動物では、こうはいきません。たとえば回虫の仲間。かれらは食道の入り口に強力な筋肉があり、これで入り口をしっかりと閉めています。そうしないと、運動するたびに、腸の中身が逆流して口から出てしまうからです。私たちが消化管の動きを気にすることなく運動できるのも、体腔内の水のおかげなんですね。

第五章　生物の形と意味

「生物は円柱形である」

第三章では、生物の多様さを通して、科学的な見方の抱えている問題点について考えました。ここからの三章は、生物の形や材料について扱いますが、やはりこれらを通して、技術の問題点を指摘したいと思います。科学や技術は現代人の生活や趣味・思考・価値観に大きな影響を与えています。そこのところを、生物という鏡を介して考えてみたいのです。

もちろん、そもそも生物がどのようなものなのかは、本書で伝えたいメインテーマです。本章では、生物の形はどのようなものかという、きわめて基本的でありながら、ほとんど教わる機会のない話題について見ていきましょう。

第一章から三章で生物多様性についてお話ししました。いろんな生物がいます。私たちは目で見て、ああ、生物って多様だなあと感じます。つまり生物は多様な形をしているのです。

昔から、形によって生物の種《しゅ》を区別してきました。種とは生物を分類する基本になる単位です。種、英語でいうとスピーシーズ（species）。これはラテン語の specere、よく見る、という言葉に由来するものです。よく見て、種の違いを私たちは認識してきました。

現在では、ＤＮＡの塩基配列をもとに種の区別をすることも行われますが、やはり形を見て同じ種か違う種かを分けるのが、分類学の基本です。だから、地球に約一八〇万種の生物がいるということは、それだけ生物の形も多様だということを意味しています。

それほど多様では、生物とはこんな形をしているのだと、形を一言で言い表すことなど、とてもできやしないと、普通は思いますよね。

でも、科学は共通性を見つけ出す作業です。ただただ、違う違う、多様だ多様だと言っていたのでは、科学になりません。生物に共通の形は、これだ！と言えるようなものが、何か考えられるでしょうか？

じつは、こんなことを言っている人がいます。

「生物は円柱形である」

円柱形、つまり断面が丸くて細長い形。これが多くの生物に共通する形だ、と言うんです。アメリカのスティーブン・A・ウエインライト教授です。

そう言われると、たしかに生物は円柱形に見えてきます。

たとえば木。幹は円柱形です。枝も根もそうです。円柱形が組み合わさって木ができています。そして木全体の形を見れば、先が細くなったり広がったりといろいろですが、丸くて細長いのは確かですから、やはり、おおまかに見れば円柱形でしょう。

私たち自身はどうでしょうか。胴体は円柱形、手も脚も首も円柱形。円柱形が組み合わさって体ができています。そして「気をつけ！」をすれば、体全体も円柱形。

イヌもネコもウマも、円柱形の胴体から、円柱形の首と、四本の円柱形の脚と、一本の細長い円柱形のしっぽが突きだしているとみなせます。

円柱形そのものという生きものもたくさんいます。ミミズ、ツクシ、カイチュウ、ドジョウ。

ドジョウやウナギは円柱形の魚ですが、魚雷のようなマグロだって、前後がスリムになった円柱形だと言えないことも、まあ、ないでしょう。

体の内部だって、血管は円柱形、気管も円柱形、腸も円柱形、神経も円柱形、骨も円柱形。植物の場合も、師管《しかん》や道管《どうかん》も円柱形。円柱形だらけです。

生きものの体には円柱形があふれています。基本的には、「生きものは円柱形だ」と言って、それほど間違いではなさそうです。

平たい理由

——とまあ、ここまではいいんですが、生物の体がすべて円柱形、というわけでは、もちろんありません。

木は円柱形だと言いましたが、葉っぱは平たいですね。蝶々の羽も鳥の羽も平らです。私たちの体を見ても、手のひらは平たいし、足の裏もそうです。耳たぶも平らと言っていいでしょう。

じつはこの平たい部分には、平たい理由《わけ》があります。

なぜ木の葉が平たいのかは、簡単に想像がつくでしょう。葉は光合成する器官です。太陽の光をあびてデンプンなどの食べものを作り出します。同じ量の材料を使って葉を作ったとすると、平たく薄っぺらにすれば、表面積が広がるから、その広い表面で光をたくさん集められ、効率よく光合成できます。ソーラーバッテリーが平らなのと同じことです。

木の葉だけではありません。生物の平らな部分は、みな、表面積が広いと良い部分なのです。

蝶もトンボも羽は平たいのですが、これは飛ぶために大量の空気を押す必要があるからです。広い面積をもった羽をパタパタさせれば、より多くの空気を押して飛ぶことができます。扇子もうちわも扇風機の羽も、みな平たいのと同じことです。

魚は、平たいヒレで大量の水を押して泳ぎます。

私たちの手のひらだって表面積が大切です。野球のバットを握るとしましょう。手とバットとの間の摩擦が大きいほどしっかり握れますが、摩擦力は面積に比例します。手のひらで水をすくう場合も、面積が大きいほど余計にすくえます。

足の裏が平たいのは、大きな面積で地面にかかる体重を分散させているからです。雪国で足にかんじきをはきますね。足の裏を広くすると、雪の中にめり込みにくくなります。

耳たぶは平たいですね。これはＢＳのアンテナと同じです。広い面積で音や電波をたくさん集めています。

とりわけ大きなゾウの耳やウサギの長い耳には、もう一つの意味があります。放熱板としての役割です。熱は表面を通って出ていきますから、熱が逃げていく量も表面積に比例します。ゾウやウサギは体が暑くなったら耳の血管に血を送って、耳の広い表面から熱を外に逃がして体を冷やします。車のラジエーターも平らな板が並んでいますが、これと同じ原理です。

花びら。これも薄く平たいですね。花びらは、ここに蜜があるよ、来てくださいと、昆虫に対して宣伝している看板なんです。昆虫がよく見えるように、なるべく面積が広い方が良い。だから花びらは平たいのです。見せるためのものは旗であれポスターであれ、みな平らです。

こんなふうに、体に平たい部分があれば、それは広い表面で何かやっているのだなと、考えて間違いありません。つまり、平らな形には意味があるのです。平らにすると、表面積が増えて何らかの利益があり、おかげでそのような形をもった生物が生き残って子孫が増える。その結果、平らなものばかりになる。そのようにして生物の形が進化してきました。だから生物の場合、形の意味を考えることができるのです。

生物にとって体の表面はきわめて重要です。体の中に取り込む物は、すべて表面を通って入ってきます。表面積が大きければそれだけ入ってくる量が増え、生きていく上で有利になります。生きていくのに、まず必要なのはエネルギー。植物は光のエネルギーを平たい葉の表面を通して得ています。動物でも進化の初期のものは、体の表面から水中の栄養を直接吸収し、それを、酸素（これも体の表面を通して入ってきます）を使って「燃やして」、エネルギーを得ていました。だから植物も動物も、表面を通してエネルギーを得ていたのです。

光や音や匂いという感覚情報も体の表面から入ってきます。逆に排泄物は表面を通して外へと捨てられます。

運動においても、羽やヒレのように平たいものはまわりの空気や水に、より多くの力を伝えて大きな反作用で前に進めます。エネルギー、情報、運動、どれをとっても大きい表面は有利なのです。

とすると、全身これ表面というような（一反木綿みたいな）ひらひらした形の生物が有利になり、そればかりのヒラヒラ・ワールドになっても良さそうですが、現実は違います。

円柱形は強い

じつは平たい形には重大な欠点があります。姿勢を保てない点です。これに対して、円柱形は、しっかりと姿勢を保ちます。

このことは、新聞紙が一枚あればすぐに分かります。新聞を開いて、片方の手だけで支えて立ててみて下さい。フニャフニャして立ちませんね。ましてや上からポンと力を加えたら、その力に耐えてしっかり立っていることなど、とてもできません。

ところが新聞紙をクルッと丸めて筒にしてやると、立つ。上からポンとたたいても、クタッとはなりません。チャンバラのときは、必ず新聞紙を丸めます。

一枚の紙というまったく同じ材料なのに、円筒形にすると強くなって、まっすぐな姿勢を保てるのです。形を工夫するだけで、これほどの違いが出ます。材料を周辺部に配置して丸くすると、どの方向からの力に対しても、自分の形を保てるようになります。

生物の形とは、そもそも何を反映しているのでしょうか？

私たち自身で考えてみましょう。骸骨《がいこつ》に服を着せて帽子をかぶせたもの。これでも、遠くから眺めればヒトに見えますね。骸骨、つまり骨格系が形を決めているのです。骨格系とは、体に加わる力に対抗して体の形を保つ役割があります。力としては、風や水の流れや重力など、外側から加わってくる力もありますし、内からの力、すなわち自分自身が筋肉を収縮させて出す力もあります。どちらの力が加わっても、体がグシャッとつぶれることなく形を保つのが骨格系の役目です。

かかってくる力に抵抗して、つぶれたり壊れたりしない——つまりこれが強いということです。骨格系は強くなければなりません。そして円柱形は強い形なのです。だから骨格系が円柱形になるのは、もっともなことなのです。大腿骨も背骨も円柱形。そして肋骨で囲まれた胸も、ほぼ円柱形です。

先ほど骨格系の形が体全体の形を決めていると言いました。そして骨格系が円柱形なのですから、生きものは結局、円柱形になるわけです。

もちろん葉や羽など、表面積が問題になる部分では薄い平らな形になります。でも葉を見て下さい。葉には葉脈《ようみゃく》という筋が走っていますね。葉脈は水や栄養を運ぶ管で、円柱形です。つまり円柱形が平たい葉の形を支えているのです。

トンボの羽にも、網目のように筋が走っています。これは翅脈《しみゃく》で、空気を運ぶ管です。これも円柱形。円柱形が、羽の平らな形を保っています。魚のヒレにも円柱形の支えが通っています。

球から円柱形への進化

生物は長い時間をかけて進化してきました。生物に於いて、どのように円柱形が進化してきたかを考えていきましょう。

まず体が細胞一個の小さな単細胞生物が、太古の海の中に出現しました。その後、複数の細胞で体ができている多細胞生物が進化しました。初期の多細胞生物は、細胞が寄り集まった小さな塊、つまり球形をしていたと思われます。この球形のものを出発点として、だんだんと大きな体をもったものが生まれ出て、今日の姿になりました。

なぜ体が大きくなっていったのでしょう？　生物は進化の過程で、新しい機能をどんどん獲得していきました。今もっている機能に加えて、さらに新しい機能を追加しようとすれば、新たなタンパク質や新たな種類の細胞が必要になります。タンパク質であれ細胞であれ、新しい種類が追加されれば、当然それを容《い》れるスペースが必要で、体のサイズが大きくならざるを得ません。進化の歴史は、いろいろなことができるようになる、つまり新たな機能の獲得の歴史と見ることができますが、それは視点を変えればサイズの増大の歴史としても眺めることができるでしょう。

体が大きくなっていく際に、球形のまま大きくなると不都合が生じます。球は一番強い形ですが、体積当たりの表面積が一番小さい形でもあり、ここが問題になってくるのです。大きいサイズのものは、相対的に表面積が小さくなります。だから球のまま大きくなるわけにはいきません。そこで球が長く伸びて円柱形になり、表面積をふやしたのです。

表面積と体積の関係。これは幾何学の問題ですが、生物にも、大きく関係してくる問題です。

ここでサイズが変わると表面積がどう変化するかを見ておくことにしましょう。大きさは違うけれどまったく同じ形をした大小二つの物体を考えます。

大きい方が、縦も横も高さも二倍あるとしましょう。形がそっくりだけれども、すべての長さが二倍です。これは、小さい方に比べて、表面積が四倍、体積が八倍になります。つまり表面積より体積の増え方が大きいのです。面積は長さの二乗に比例し、体積は長さの三乗に比例するからです。だから大きいものほど、相対的に表面積が小さくなり、体積当たりの表面積で比べれば、長さが二倍の物体の表面積は、半分しかありません。

体積は生物の組織量に対応します。だから体が大きくなればなるほど、組織量に比べて表面積が小さくなってしまうのです。内部には生きた組織がたくさん詰まっているのに、それを養うための食物や酸素の入ってくるべき表面が小さくなるのですから、これは重大な問題です。なんとか手を打たねばなりません。生きものにとって表面積を確保することは死活にかかわることなのです。サイズの増大にともなう表面積の割合の低下、これをいかに抑えるかは、進化の上で解決すべき大問題でした。

表面積が広いといえば、平たい形です。だから体を平べったくしてしまえば表面積の問題は解決できるのですが、平たい形はフニャフニャして体を支えられません。

さらに、平たいとノペッと広がるのですから、体の端と端との距離が大きく離れてしまいます。離れれば体内での情報の伝達や物質の輸送がむずかしくなります。体の一端を敵にかじられていても、別の端はなかなかそれに気づかないという事態にもなりかねません。

また、運動に対する抵抗は表面積に比例しますから、速い運動をしようとすると平たくて表面積が広すぎるのも考えものです。動物にはより速く動くという要請があるものなのです。こう考えてくると、体を平たくして表面積の問題を解決するのは、あまり良いやり方とは思われません。

そこで動物は、別のやり方をとりました。球から変形して、強さを保ちながらも表面積を確保するには、丸い断面のまま細長くなる、つまり円柱形になったのです。力はいろいろな方向からかかって来ますが、円ならばどれにも同じように対応できます。また円柱形ならば中心に一本、太い神経や輸送用のラインを通せば、円周上の各点は中心から等距離ですから、情報や物質の輸送も楽です。

動物の場合、動く必要があります。円柱形のように細長い体だと、細い先を先頭にして泳げば、水の抵抗が減ります。円柱形の太さを前端と後端で細くすれば流線形になり、さらに水の抵抗が減って、ますます速く泳げます。

海から陸へ、進化する円柱形

初期の動物は海に棲み、その多くは円柱形をしていたと思われます。今でも、線虫、ヒモムシ、ゴカイ、ホシムシ、ユムシなど、海に棲む非常に多くの動物が円柱形をしています。

円柱形の動物が泳ぐには、体をくねらせて水を押せばよいでしょう。泳ぐためには水を大量に押さねばならず、押すための広い表面が必要になります。円柱の側面全体がその表面を提供します。体を波のようにくねらせ、その波を前から後ろへと送れば水を後ろに押しやって、体は反作用で前に進めます。

泳ぐ方向は決めておいた方が良いでしょう。そうすればより速く泳げるように筋肉や神経を配置できます。そこで前後の区別が生まれてきます。食べ物を求めて泳いでいくのですから、泳ぎ着いてすぐに食いつくためには口が前端にあるのは好都合です。排泄口は後端に開きます。そうでないと自分の排泄物をかき分けかき分け泳がねばなりません。

前端は未知の環境にまず接する端です。だからそこに、目や鼻のような感覚器官ができてきます。感覚器官からの情報を処理し判断して、筋肉に泳げと指令を発する神経の塊（つまり脳）も前端にできます。脳の場所はどこでもいいように思われるかもしれませんが、そうはいきません。感覚器官から出てくる信号はごく小さな弱いものですから、脳までの距離が離れていると、途中で雑音がまぎれ込んで判読不能になるおそれがあります。だから脳は感覚器官のごく近く、つまり前端にあった方が良いのです。

光は上から来ます。一方、重力は下方に働きます。環境に上下の方向性がありますから、それに対応して背腹の区別も生じてくるでしょう。

海の中にたくさんいる円柱形の多様な蠕虫《ぜんちゅう》たちは、背骨をもたないので、無脊椎動物とひとくくりに呼ばれたりします。これらは背骨をもたないかわりに、体の中央に大きな水の詰まった空間をもっています。この空間は、体腔《たいこう》と呼ばれ、この体腔が背骨の代わりをして、蠕虫たちの運動に関わっていることは前章でふれました。

さて、さらに速く泳ごうとすると、体の支えをよりしっかりさせて、より強力に水を押すために、体の中心に背骨ができてきます。また、より多くの水を押すために平たいひれが登場します。でも体自身は円柱のままです。水を押す運動に関わらない部分まで平らにすると、水の抵抗が増えてしまうからです。ここまでくるとわれわれの直接の祖先の脊椎動物である魚になりました。

続いて動物は海から陸へと進出します。陸の動物の代表は昆虫と脊椎動物ですが、どちらも円柱形の胴体から、細長い円柱形の脚を突出させました。脚があれば、胴体をズルズルと地面を引きずって進まなくてもよくなります。これで抵抗が格段に減ります。脚の役目の一つは体を持ち上げること。もう一つの役目は、もちろん、地面を蹴って進むことです。

脚がひれのように平たい物ではなく細長い円柱なのは、走ると泳ぐとの違いです。走るにせよ泳ぐにせよ、前に進むにはまわりのものを押さねばなりません。押した反作用で体は前に進むのです。そこは同じなのですが、押す相手が違います。泳ぐ場合には水を押します。水はサラサラと流れていってしまうものなので、強い反作用を得ようと思えば、たくさんの水を押さねばなりません。だから広い面積をもつ平たいヒレが必要になります。空気を押して空を飛ぶ場合も事情は同じです。

ところが走る場合には、押す相手は固い地面。地面は固くひとかたまりになっていますから、足の裏の面積が狭かろうが広かろうが関係なく、蹴れば地球全体を蹴っとばしたことになります。だから走るのに、足の裏の面積は問題になりません。

問題なのは脚の長さの方です。コンパスが長ければ速く走れます。脚を振り動かす筋肉は脚の付け根についていますから、脚が長いほど、足先は速く動き、速く走れることになります。棒を持って振り回せば、棒の先が握った手よりも速く動きますよね。

これは「てこの原理」の応用です。ふつう「てこ」というと、小さな力で重いものを持ち上げる時に使います。その時は、てこの支点に近い方にものを載せて、支点から遠い方を動かします。でも、脚の場合は逆です。支点の近くを筋肉で引っ張り、支点から離れている脚先を動かします。このように、てこを逆に使えば、速さを増幅することができるのです。

脚は長い方が、より速度の増幅率が増します。そして脚は細い方がいい。なぜなら、太いと重くなり、脚を振り動かすのに余分なエネルギーが必要になるからです。つまり、細長いカモシカのような脚が良いことになります。

とはいえ、あまりに細いと折れてしまいます。そこで円柱形なのですね。断面が丸いと、跳んだりはねたりして、どの方向から力が加わっても、曲がらずひしゃげず、しっかりと硬く変形しにくい。とくに中が抜けた円筒形が軽くて強い形なのです。われわれでも昆虫でも脚は丸く細長い円筒形となっています。

以上は脚の話。脚が生えている胴体の方も円柱形でした。そもそも動物の体は体壁という革袋の中に水を詰め込んだもの。内部から水圧がかかっている風船のようなものです。四角い風船や三角の風船はありません。風船は球形か円柱形、つまり断面は丸い。

中に液体や気体が詰まってパンパンに膨れている構造物は丸い断面になります。水道管もガス管も丸いですね。水撒きのホースも丸。ビール瓶だってお鍋だって丸い形をしています。中から圧力のかかる容器は丸い。四角いガスタンクなどお目にかかれませんが、それは角があると、角の部分に力が余計に加わって破裂してしまうからです。

これは動物でも同じことです。内部に水の詰まった袋状の構造物、つまり胴体ですが、これは円柱形をしていると破裂しにくく、強くなります。そして手足のように硬い材料でできた構造物は、円柱形をしていると、どの方向から力が加わっても壊れにくくて強くなります。つまり、水の詰まった物であれ、硬い骨であれ、円柱形は強い形だから、胴体も手足も円柱形。生きものは円柱形をしているのです。

植物についても形の進化を見ておきましょう。初期の陸上植物には葉などなく、円柱形の幹と枝だけのものでした。円柱形は重力にも負けず、また四方八方からの風の力にも負けずに植物の体を立った姿勢でしっかりと保ちます。背丈が高くなれますので、他のものの陰にならずに済みます。また丈が高く枝分かれした円柱は表面積が大きいので、光をたくさん集められます。円柱形は、限られた土地を有効に使って光を受ける面積を増やすのに良い形でした。

さらに広い光合成面積を得るために平らな葉が進化してきました。葉ができるときには、何本かの円柱形の枝の間に、ちょうど指の間に水掻きが張るように膜ができて葉になりました。つまり「初めに円柱形ありき」だったのです。

ＷＨＹとＨＯＷのあいだ

生物の形には意味があるという話をしてきました。「生物は、なぜ円柱形なの？」という問いに答えたわけです。「なぜ？　ＷＨＹ？」と問うとは、意味を問うことですね。子供たちは「なぜ？」を連発するものです。知的興味の発露がこの「なぜ？」。次のような親子の会話は、めずらしくないかもしれません。


「ねえ、ねえ、パパ、なぜ物は落ちるの？」

「万有引力があるからさ」

「なぜあるの？　落ちると何かいいことがあるの？」

「それは神様しか知らないこと。でもね、どんな力が働いて、どんなふうに落ちて行くかはわかるから、それを教えてあげよう。力は質量に比例し、距離の二乗に反比例するんだ」

「なぜ二乗なの？　三乗じゃないの？」

「それも神様しか知りません！」

理科では、ＨＯＷ＝どんなふうになっているかについては、詳細に教えます。でも、子供たちの「なぜ？」という素朴な疑問には答えられないのです。子供たちの真摯《しんし》で素朴な疑問を、はぐらかさざるを得ないのが理科を教えていてつらいところです。ただし、なぜ？　に答えないのは、理科でも、物理や化学の分野です。生物学は違います。「なぜチョウに羽があるの？」「なぜ羽はひらべったいの？」という「なぜ」に答えられるのです。

生物は長い進化の歴史を通して、その環境によく適した形をもつものが生き残ってきました。「なぜこうなっているの？　こうなっていると何かいいことがあるの？」という疑問をもち、それに答えようとする知的努力が、無駄にならないのが生物の世界なのです。

普段の私たちの活動には、意味があふれています。こうしたら儲かる、出世できる、楽しい、などなど、みんな意味だらけです。

自然から意味を剝奪してしまって、単なる事実に還元してしまったのが、科学というものです。それはそれで結構な物の見方ですが、それでは子供たちや一般の人々は、どうしても、とっつきにくくなってしまうでしょう。

もちろん、物理や化学によって、HOW＝どんなふうになっているか、たとえばどんなふうに力が働くかが分かれば、それを利用してロケットも上げられるし、家も建てられるし、機械も設計できます。そうして作られた機械は、役に立ち、生活の上では大いに意味があるから、みんなが理科を勉強してきたのです。でも、ちまたに物があふれてきて、物を作ることのありがたみが薄れてくれば、科学的に自然を見るということは、自然を無意味なものとして眺めることでしかなくなってきます。つまらないですよね。理科離れが起こるのも、もっともでしょう。

自然科学の中で、生物学は例外的に意味を問える学問です。だから生物学を手がかりとして、理科の世界に子供たちを導き入れるのは良い方法で、理科離れを止めるには、生物をしっかり教えるべきだと思っています。

第六章　生物のデザインと技術

生物と人工物の違い

第四章と第五章で、体を作っている材料はなにか、その材料を使って、生物はどんなデザインの物を作っているのかをお話ししてきました。さらに話を進めて、この生物のデザインという視点から眺めると、私たち人間が作っているものが、どう見えるのか、そしてその問題点は何かを考えていくことにします。

まず形について、人工物と生物はどう違うのかを考えましょう。生物は円柱形をしています。基本的に丸っこい。ところが人工物はまったく違います。

部屋の中を見まわしてみましょう。テーブルもテレビもタンスも、みなカクカクと角ばった四角い箱形です。そして、部屋そのものも箱です。壁・床・天井という平らなものが直角に組み合わさって四角い箱になっています。こんなふうに、人工物は、四角いものが多いんですね。平らな部分と角とでできています。角《かど》張っているんです。ところが、生きものは丸くって角がありません。非常に違います。

では次に、材料という点から生物と人工物とを比較してみましょう。生物の体は、ほとんどが水でできていました。ところが人工物は、金属でもプラスチックでも、カラカラに乾いています。水っぽいものなど、ほとんどありません。タンスやテーブルは木という生物由来のものでできていますが、木そのままではなく、乾燥させてから使います。生物は水っぽい、それに対して人工物は乾いている。形のみならず材料においても、生物と人工物とでは、まったく違います。

もっと比較していきましょう。硬さについてはどうでしょうか？　ネコでもイヌでも、さわるとふわっとへこみますよね。やわらかいのです。ところが鉄もプラスチックも、ゴチゴチで硬い。押しても変形しません。生物と人工物とでは、硬さも正反対です。こう見てくると、どうも生物のデザインと人工物のデザインとは、根本的に違うようなのです。

この違いがどうして生じるのかを考えていきましょう。

生物は材料が活発

生物がなぜ水っぽいかというと、水の中では、化学反応が活発に起こるから。生物とは、常に活発に化学反応の起こっているものです。一方、人工物が乾いているのは、その逆です。化学反応が起こってもらってはこまるからです。湿っていると長持ちせず、すぐに壊れてしまいます。つまり鉄なら錆《さ》びるし、木製品なら腐ります。

鉄が水と出会うと、化学反応を起こして水酸化鉄、すなわち錆になります。木製品を湿らせておけば、腐朽《ふきゅう》菌という細菌が繁殖して腐る、つまり細菌により分解されてしまいます。細菌という生物が繁殖するのは、水っぽくて化学反応が起こせる環境だからです。木であれ鉄であれ、水っぽい状態が、化学反応が起きやすい活発な状態なので、すぐに反応が起こって物が壊れてしまうのです。これでは困ります。

私は「湿っている＝活発、乾いている＝不活発」とみなしています。今までの技術は、できるだけ不活発な材料で製品を作ることを心がけてきました。不活発であれば壊れにくく長持ちし、良い製品になるからです。

もちろん製品を作るときには、高い温度と高い圧力をかけて活発な状態にし、化学反応を起こしながら作るのですが、いったん出来上がったら反応性のない不活発なものにするのが技術の常識です。

ところが生物の場合、材料そのものがいつも活発なのですね。たとえば、われわれの体の外側を覆っている皮膚。これは単に体を保護する物理的バリアではなく、手ざわりや温度を感じる感覚器官としての役目もあるし、汗を分泌して体を冷やす、クーラーの機能ももっています。傷ついたって自分で治します。壊れたらお終《しま》いという工業製品とは違うのです。傷口から細菌が入ってきても、それを撃退する機能も、皮膚にはありります。このように皮膚は、ものすごく高機能なんですね。それは皮膚の中は水っぽい環境で、生きた細胞が、化学反応を起こしながら働いているからです。

このように皮膚はさまざまな機能をもっていますが、皮膚の最大の機能である物理的バリアだけを取り上げても、皮膚はきわめて活発だという例を次に紹介しましょう。ナマコの皮膚です。じつは私はこの研究をしておりまして、宣伝を兼ねて少々紹介させていただきます（詳しくは第十一章参照）。

ナマコの皮は頭がよい

ナマコの皮膚（皮）は、硬さをすばやく変えます。ナマコに触ると、体を固くして身を守ります。皮膚が硬くなっているのです。普段の時には皮はしなやかで、ナマコが体を曲げたり伸ばしたりする運動のじゃまになりませんが、危険を感じると、皮が硬くなって身を守っています。また、ナマコは体の前方を直角に持ち上げた姿勢をとりつづけたりもしますが、この時にも、皮が硬くなって、その姿勢を維持します。

私たちは身を固くしたり、姿勢を維持したりするには、皮膚の下にある筋肉を収縮させます。ところがナマコは皮膚そのものの硬さを変えるのです。

ナマコの皮は、硬くなるだけじゃありません。皮を強くつねって引っ張ると、その部分がどろどろに溶けて、皮に穴があいてしまいます。そして、その穴から、ナマコは腸を吐き出します。魚がナマコに噛みついて引っ張った時には、これと同じことが起こります。そしてナマコが吐き出した腸を、魚が食べている間に、ナマコは逃げていくと言われています。

つつかれると皮は硬くなって身を守るけれど、もっとはげしく噛みつかれると、今度は逆にものすごくやわらかくなって穴をあける。そうして、魚に腸を与えることにより、身を守ります。状況に応じて、硬くなったりやわらかくなったりできるのがナマコの皮膚です。

ナマコの皮膚の中には神経が入っており、刺激の強さを感じて、硬くする機構を活性化したり、やわらかくする機構を活性化したりします。きわめて高機能な皮膚を、ナマコはもっているのですね。

ナマコの場合、体を作っている材料自身が状況を判断して、その場にふさわしいように、自身の硬さを変えています。ナマコの皮は、とても頭のいい材料なんです。こういう材料を知能材料と呼びます。

工業技術は、今まで頭のいい材料を用いてきませんでした。たとえば、製品が鉄でできていれば、それはガチガチの硬いままです。そういう製品に柔軟性をもたせようとすると、関節の部分をつくって、そこで曲がるようにしておけば、一応、ある程度のしなやかさは得られます。硬くしたりやわらかくしたりしたければ、関節にモーターを取りつけて、それをコンピュータで制御すればよい。でも、これでは大がかりな装置になり、とても一枚の皮、というわけにはいきません。生物の体がコンパクトでありながら、ものすごい機能をいろいろもっているのは、体を作っている材料そのものが、頭がいいからなのです。

ナマコの皮で車のダッシュボードを作ったらどうでしょう。さわるとふんわりして手触りがいいが、強くさわれば硬くなって、形をたもってくれますし、事故で衝突という時には、皮がどろっと溶けて、ドライバーを包み込んでくれます。

幼稚園の壁をナマコ壁にすれば、子供がどんとぶつかっても、溶けてくれるので怪我しません。ナマコの皮でズボンを作れば、お腹いっぱいのときには、なでるとすっと伸びてくれて、ぽんとたたくと、そこで止まる、なんていうフリーサイズのズボンが作れるでしょう……と、いろいろ夢は広がります。

ナマコの皮は、八割が水です。だからこそ、化学反応が起こって硬さが自在に変わりうるのですね。この皮の中でどんな化学反応が起こっているのかは、今、研究中です。

こんなふうに夢は膨らむのですが、水っぽい製品をどうやって作るかは、実際にはとても難しい問題です。なにせ、世の常識としては、工学的に良い製品とは、乾いたもの。乾いていれば不活発だから長持ちします。この長所は捨てがたいのですが、この壊れにくい点にも、大きな問題があるのですね。壊れにくいから、いらなくなっても壊すのが大変。結局、廃棄物の山ができてしまっているのが現状です。

生物の場合は違います。作ることのみではなく、分解・再利用までも考慮されて体がつくられています。生物とはそもそも、他の生物のつくったものを利用し、自分もまた死んだら他の生きものに利用されるという形で物質のリサイクルをしているものです。資源をリサイクルし続けているからこそ、三八億年もの間、生物は続いてくることができました。そして水っぽいということが、リサイクルを続けられる条件なのです。

生物はやわらかい

次に、なぜ生物はやわらかいのかについて考えてみましょう。

生物は水が主成分です。その水がしなやかな膜で包まれたものが生物です。細胞が生命の基礎ですが、これは、水が細胞膜というしなやかな膜に包まれたものです。その細胞が集まって私たちの体ができていますが、体の中央に水の詰まった体腔をもっていますから、私たち動物の個体も、体壁というしなやかな膜の中に、水が詰まったものだとみなせます。つまり生物は基本的には水の詰まった皮袋なのであり、水っぽくてプヨプヨとやわらかなのです。水っぽいからこそ、やわらかくてしなやかなんですね。

この「やわらかい」というところも、生きものの大きな特徴でしょう。多くの動物は硬い骨をもっていません。ミミズも、タコも、イソギンチャクも、やわらかく、変形自在な体をもっています。

骨をもった動物たちの体もまた、やわらかく、しなやかに変形します。自分自身のことを考えてみればすぐに分かるでしょう。「柔肌《やわはだ》」と感じるのは、私たちも膜に包まれた水だからです。中心部に硬い骨は存在するのですが、そのまわりは体液や、水を袋に詰め込んだものと言ってよい細胞で満ちており、さらに一番外側は皮膚というしなやかな膜で包まれています。だからしっとりと柔肌なのです。

骨だって、たんなるゴロンとした石の塊ではありません。骨は適当な大きさのブロックに分けられており、ブロックとブロックとは、しなやかな紐で結びつけられて関節を作っています。だからしなやかに曲がることができます。動物のしなやかさの基本は、膜に包まれた水と、関節とにあります。そして、体がしなやかだからこそ、動物は上手に体を変形させながら動くことができるのです。

では植物はどうでしょうか。植物は歩きまわりません。だから体がガチガチで動かないかというとそうでもなく、鉄やコンクリートと比べれば、植物はずっとしなやかです。

ふかふかの草原に寝ころべばやわらかさを実感できますし、硬いと思える木だって、あの風にゆれるポプラの梢を眺めていれば、なんとしなやかに揺れ続けるのだろうと思わずにはいられません。

鉄塔であれコンクリートの電柱であれ、あんなふうに揺れはしません。あれほど大きく変形する前に折れてしまいますし、たとえ変形量がもっと小さくても、鉄塔があんなに繰り返し前後に揺れ続けたら、金属疲労を起こして壊れてしまいます。木は、私たち動物を基準に考えたら確かに動かないものですが、それは自分の力で動かないというだけであって、人工物に比べれば、ずっとしなやかにしょっちゅう揺れ動いているのです。

それでは木でできた電信柱はどうかというと、これはしなやかには揺れません。生きている木がしなやかなのであり、死ねば水気が失われ、しなやかさも失われて硬くなってしまいます。これは草でも同じです、ドライフラワーは硬くてもろく、不用意に触れば簡単に折れてしまいます。

私たちの骨もそうです。標本として手にとる骨はカラカラに乾いていてパリンと割れますが、じっさいに生きている時には、骨といえども体液に浸されており、骨の中には血管も通っていますし、コラーゲンをはじめとするタンパク質も、かなりの量で含まれています。生きている骨は水っぽくてしなやかで、そう簡単には折れません。だからこそ跳んだりはねたりできるのです。

生物は、外から加わる力に抵抗するに当たって、しなやかさを武器としています。柳に風。竹に雪折れなし。力が加わってきたら、しなやかに変形して、力をいなしてしまいます。台風の時の椰子《やし》の葉など、すごいものです。あの広がっていた葉が折りたたまれて風下になびき、風向きが変われば、即座に方向を変えてまたなびきと、なびくことにより、暴風の力を軽減しています。

私たちだってそうですね。机の角に引っかかっても、皮膚が変形しますから、するっと通り抜けられます。耳たぶや、お腹の皮を引っ張ってみればわかりますが、引っ張れば簡単に伸びますね。ところが、もっと引っ張れば、伸びなくなり、抵抗します。大したことのない力には、無理に抵抗しない。大きな力でも、こちらがちょっと形を変えてやれば、力をいなすこともできる。そして、それでもしつこく体を破壊するような力が加わってきた時には、それに目一杯抵抗する。うわべは柔軟で、芯は硬いというのが、生物のやり方です。

ところが人工物はそうではありません。力が加わっても、ほとんど変形せずに、大きな力であれ小さな力であれ、まともにその力に抵抗します。鉄もコンクリートも、皆そうです。だから手触りが悪いし、ぶつけりゃ痣《あざ》になるし、われわれ使い手にとって、ちっともやさしくありません。こういう硬い物に囲まれて生きていれば、犬や猫や、ぬいぐるみを愛撫したくなるのも道理でしょう。

生きているとは水っぽいということです。そして水っぽければやわらかくしなやかで、自分の力で動きまわったり、まわりの風や流れの力を受けて揺れ動きます。死ねば水気が失われ、硬く動かなくなります。「生きている＝水っぽい＝やわらかい＝しなやかに動く」という図式が描けます。

文明は硬い

では次に、丸と四角について考えましょう。生きものは丸くて角がなく、人工物は四角くて角張《かど》っています。

生きものが丸いのは、水の詰まった革袋のような体をしている、つまり水の詰まった風船みたいなものだからです。

これが胴体がなぜ丸いかの理由です。一方、手足も丸い断面をもっていますね。これには別の理由がありました。どの方向から力が加わっても、同じ強さになるように、丸くなっているのです。角があると、強さに偏りが生じます。また、角がないと、引っかからず、運動に好都合という理由もあります。

このように生物は丸いのですが、では、なぜ人工物には、硬くて四角くって角張った物が多いのでしょうか？

そもそもの技術の始まりは、石器でした。石を割って角をつくり、それをナイフとして使用しました。硬く変形しにくい角のある物を使って、効率よく自然を切り裂くことが技術の始まりだったのです。石の刀で皮を裂き肉を切る、やじりを作って動物を射る。硬いから、薄く尖《とが》らせられ、効率よく切ったり刺したりできるわけです。丸くって湿っていてやわらかい生物を、硬くて乾いていて角があるもので切り裂くのです。

まず石の道具が登場しました。それから青銅製になり、そして鉄の時代になりました。私たちは文明を、石器時代、青銅器時代、鉄器時代と呼んでいますね。これらは硬い材料の名前です。その材料が画期的だったから、動物を切り裂いたり、大地を切り裂いて開墾したりする効率が、どんどん上がりました。文明の呼び方に、技術が硬いものだ、硬い物で自然を切り裂くのが文明なんだということが、じつにはっきり表れています。

触れればたちどころに自然が壊れるのが良い技術なのです。自然を破壊し独自の空間を拓き、そして絶えず再侵入してこようという自然に対しては、硬く変形しない材料で囲いを作ってはねつける。つまり家を作るということですね。

このようにして自然を切り拓いて、人類は独自の世界を築き上げてきました。硬い変形しにくい材料は技術の基本であり、文明の基だったのです。石器、青銅器、鉄器、それにセラミックス、プラスチックも加えて、技術の使う材料の多くは硬いものです。

四角い煙突の論理

生きものは丸く人工物は四角い。形の上で大きな違いが見られますが、このことに関して最近、考えさせられる経験をしました。ある研究所を訪ねた時のことです。茶飲み話に「四角い煙突」が建ったという話題が出ました。ここからも見えますよ、というので、さっそく屋上にあがって工場地帯の方に目をやると、ありました。根元が少し広がったそれは、煙突というよりも、すごく細くて丈《たけ》の高い瀟洒《しょうしゃ》な建物という感じです。煙突と言えば昔から丸いものと相場が決まっています。「それをまた、なんで四角く？」と聞くと、美観に配慮した結果とのことでした。

ビルにしても住宅にしても、建物という建物はみな四角い箱型です。都会では空間がすべて四角い箱でビッシリと埋めつくされているのです。そういうところに丸い煙突がニョキッと立っていると、あまりにも異質で、景観上どうにも調和がとれません。だから煙突も四角くすれば、落ちつきのある、美観にも配慮した街づくりができるだろうというのが、煙突を四角くした理由だそうです。

この話を聞いているうちに、「何か変だな」という思いが強くなってきました。たしかに現実の四角い煙突は瀟洒で悪くはないのですが、生物学者として、こういうアイデアには、どうにも賛成できかねるのです。

そのわけを説明する前に、なぜ煙突が円柱形なのかを考えておきましょう。これは形が意味をもっていることの良い例ですし、また、生きものがなぜ円柱形なのかの復習にもなるからです。

円柱形とは断面が丸くて細長いものです。この「丸い」と「細長い」は、煙突にとって、両方とも意味があります。

まず「細長い」。煙突は不要の煙やガスを、なるべく空の高いところに捨てるものですから、背丈が高い必要があります。建てるための面積は限られるので、当然、細長くせざるを得ません。

細長いものは曲がりやすくたわみやすいものです。高い煙突には上空の大きな風の力が加わるし、重力による自分の重さもかなりなものになりますが、それでも曲がらずたわまず、垂直に立った姿勢を保っておくには、断面の形を工夫して、強くしなければなりません。そして「丸い」断面は良い形なのです。

丸ければ三六〇度、どの方向からの力にも同じように対処できます。風向きも地震の揺れも方向はあらかじめ決まっているものではありません。すべての方向に強くするには、どうしても丸い形をとらざるを得ないでしょう。

丸は同じ面積なら周囲の長さがもっとも小さい形です。だから丸くすれば風に触れる面も少なくなり、煙突にかかる風の力を小さくできます。また、丸くて角がないということは流線形なので乱流が起こりにくく、これも風の力を減少させる効果があります。

風の影響はもう一つ考えられます。丸はどの方向から見ても左右対称ですが、もし非対称だと、風が当たれば飛行機の翼の原理で、風向きと直角方向に力が働きます。煙突に曲げの力が加わるから、これは好ましくありません。完全に対称な丸い断面は、この点からも良い形です。

煙突は外から見れば円柱形ですが、真ん中が抜けており、円筒形です。中空の部分があるのは煙を通すという目的のためで、これは当然なのですが、ここでも丸は良い形なのです。先ほど述べたように、丸は内に包んでいる面積あたりの周の長さが一番小さいのです。周囲の壁の近くでは、煙は壁との摩擦ですんなりとは昇っていきませんから、煙の通る面積あたりの壁が少ないと、効率よく煙を通せます。また、角があると、角の隅では煙が淀んでしまいますから、ここでも角のない丸い形が良いことになります。

丸い形がいいのは、これだけではありません。煙突に限らず、中ががらんどうの構造物で圧力のかかるものは、みな丸い形をしています。外側から圧力がかかってくる潜水艦も船底もトンネルも丸い断面をしていますし、内側から圧力のかかるガスボンベや水道管も、やはり丸です。丸は圧力に強い形だからです。煙突も風圧を受けますし、中で排気ガスが爆発してボンと圧力が加わる場合も出てきますから、丸い形が良いことになります。

このように煙突にとって円柱形は、大変良い形なのです。それでもあえて四角くしたのは、四角いビルばかり並んでいる景観に配慮したから。景観という環境を重視し、見る人のことを大切にする姿勢の表れであり、「環境にやさしい」「人にやさしい」発想が四角い煙突を生んだということなのでしょう。

でも、この議論を進めていくと、おかしなことになってしまいます。

机も本棚もタンスもテレビもステレオも、そして部屋そのものも四角ですよね。そんな四角のただ中に、人間という丸いものがポツンといる。すると、人間は異質で浮き上がってしまい、どうにも見ていて落ちつかず、ひいては人間など美しくないという感覚を、もってしまうかもしれません。

四角い煙突の論理を突き進めていくと、技術社会は、私たち自身を美しいと感じさせないような世界を作ってしまったことになります。これは大問題でしょう。若者が結婚しなくなったのも、ここらあたりに遠因があるのかもしれませんね。

それにしても、なんで人間はこうも四角いものばかり作りたがるのだろうかと、私は常日頃から疑問に思っていました。もちろん作る側にも、それなりの理由があるのは分かります。大地は水平で重力は垂直ですから、ここから直角が出てくるでしょう。だから四角くすれば安定がいい。それに四角同士は互いにぴったりと納まります。そして、まあ、たぶんこれが最大の理由でしょうが、四角ならば作りやすい。ただしこれは作り手の論理です。どうも巷《ちまた》に四角がのさばりすぎている気がします。

近ごろ「環境にやさしい技術」や「人にやさしい技術」という言葉をしょっちゅう耳にするようになりました。これは大変いいことですが、そこで気になるのが丸と四角に端的に表れている、人工物と生物の設計思想の違いです。設計思想がこうもかけはなれていて、はたして人や生物や環境にやさしいものなど作れるのでしょうか？

丸い煙突が異質に見えるのなら、解決策は簡単。まわりに木を植えればいい。丸い木々の中で丸い煙突は美しく映えるはずです。円柱形の生きものたちを排除して四角い建物で空間を埋めつくし、その上でそういう環境への影響を考慮し、見る人の美意識に配慮して四角い煙突を建てても、それはまやかしのやさしさでしかありません。四角い煙突の発想から生まれて来るのは、丸い自己の体が醜悪だという感じ、つまりは自己嫌悪です。自分自身に嫌悪感をもたせるようでは、人にやさしい技術とは、とても呼べません。

さて、この「人にやさしい」ですが、この言い方は、かなり情緒的で、「やさしい」とは何なのか、いったいどうやったらやさしくなれるのか、いま一つはっきりしません。そこで、「やさしい」という言葉を「相性がいい」と言い換えれば、ある程度はっきりしてくると私は思います。四角と四角なら相性がいいが、丸と四角では相性が悪い。だからこそ四角い煙突なのでしょう。このような論理からいけば、当然、私たち丸い人間と四角い人工物とは相性が悪いことになります。今の技術は、人にさっぱりやさしくないのです。

人や環境にやさしい技術

では、どうやったら相性が良くなるのでしょうか。同じデザイン・設計思想を用いれば、相性が良くなると私は思うのですね。ところが生物と人工物のデザインは、まったく正反対。体の設計原理と人工物の設計原理とが、あまりにも違いすぎています。これでは相性が良くなりようがないでしょう。

いったい、これほど自分自身の設計思想とかけ離れたものばかりに囲まれて暮らしていて、はたして幸せと感じられるものなのでしょうか？　硬い四角い箱は、確かに自然の脅威から私たちを守ってはくれるのですが、それは牢獄以外の何ものでもないのかもしれません。そういう四角で硬い直線的なものが機能的で良いという美意識に、私たちは慣らされすぎているのではないでしょうか。

物を作る側にとって、四角くて硬くて乾いているということには、優れた点が多数あります。硬ければ変形しにくく、設計が簡単になります。乾いていれば長持ちします。そしてなによりも、自然を効率よく切り裂け、自分独自の空間を確保できます。しかし今や、作る側の論理、人間の側の都合だけでは話は済まなくなってきました。真の「環境にやさしい技術」や「人にやさしい技術」が求められているのです。「人にやさしい」とは、「生物であるヒトのデザインと大きくは違わない」と言い直せるのではないかと思います。また、環境も多くの生物が作り上げているものであり、環境にやさしくなるには、当然、生物のデザインを無視することはできません。ここでも「生物のデザインと大きく違わない」ことが必要になってきます。

今までは自然を効率よく破壊するものほど良い技術とされてきました。だから技術とは本質的に自然と相性の悪いもの、その相性の悪さを誇ってきたのです。でもこのような従来型の技術から、そろそろ卒業しなければならない時期に来ていると私は思っています。生きものに学び、生きものや自然と相性の良い技術をさぐっていくのが、これからの進むべき方向でしょう。

生物は長い進化の歴史を通して、環境に適応したものが生き残って来ました。生物の重要な特徴の一つは、環境に適応していることです。そして環境に適応しているとは、すなわち環境と相性がいいこと、つまりは環境にやさしいことです。生物は環境にやさしいデザインをもっており、そのようなデザインの宝庫が生物なのです。人間に対してもやさしい、環境に対してもやさしい、そのような技術を開発したければ、生物のデザインをもっと勉強すればよいと思います。

生物のようにリサイクルするものは環境とも相性がいい。生物のデザインを考慮して作れば、それは使う私たちと相性が良く、環境を破壊しないだけではなく、使い手の心をやわらげて、使っていてほのぼのと幸せだと感じさせる物ができるのではないでしょうか。

これからの技術は生物のデザインをふまえたものとなる必要があると思います。人間の生き方だってそうです。生物学を学び、生物のデザインに学べば、人間として、より幸せに生きられるようになるし、また多くの生きものたちと、この狭くなった地球の上で共に生きていくことが可能になると私は信じています。

第七章　生物のサイズとエネルギー

長さ一億倍、重さ一兆倍の一〇億倍

この章では、生物の体の大きさとその影響についてお話しします。生物は多様だと第三章で申しましたが、生物のサイズも、じつに多様です。一番小さな生物は、直径が一万分の三ミリ程度のマイコプラズマです。もちろん目には見えません。

最大の動物はシロナガスクジラで、体長三〇メートル。植物だとセイタカユーカリの一五〇メートル。最小と最大の生物で、長さに一億倍の違いがあります。体重にしたら違いはもっと広がって、マイコプラズマが〇・一ピコグラム以下でシロナガスクジラが一〇〇トン以上ですから、二一桁、つまり一兆倍してさらにそれを一〇億倍したぐらいの違いがあります。

陸上の哺乳類に限ってみても、最小のトガリネズミが一・五グラム、最大がアフリカゾウで一二トン。体重で約千万倍も違っています。それでも形はほぼ同じ。胴体から足が四本出ていて、前に頭、うしろにしっぽ——なんとなく同じ形をしていますね。

ただし体のプロポーションは大分違います。ゾウはずんぐりむっくり。とくにゾウの足は極端に太いですね。それは当然でしょう。体重がすごくあるのに、脚の数はネズミと同じ四本ですから、脚にかかる重量はものすごいものになります。太くないと脚が地面にめり込んでしまうでしょう。

体重は体の長さの三乗に比例します。面積は体長の二乗に比例します。面積は体重ほどには増えません。だからゾウは、足の裏の面積をより大きくし、体重を分散させる必要があるのです。ゾウの脚がネズミにくらべ、ずっと太くてずんぐりむっくりの形なのは、このためです。

このことにガリレオ・ガリレイは気づいていました。大きさが変わったら、体の各部分の大きさや機能がどんなふうに変わるのかを調べるのが、スケーリングという学問です。ガリレオはこの分野でも先駆者です。

動物のスケーリング

スケーリングのスケールとは、物差しや縮尺という意味です。スケールモデル、日本語で言えば縮尺模型、本物そっくりのミニチュアの船や飛行機の模型です。二〇〇分の一のスケールモデルなら、どの部分の長さも、二〇〇分の一の大きさになっています。だから本物そっくりに見えるのです。目盛を本物の二〇〇分の一にきざんだ物差しを使って設計図通りに作れば二〇〇分の一のスケールモデルになります。

動物のスケーリングにおいては、体の大きさの指標として体重を使います。理由は、測るのが簡単だから。また、体重が組織の量に比例するから指標としてすぐれているのです。

先ほどのゾウの脚の例のように、体重と表面積の関係は、スケーリングにおいてとても重要ですから、ここでまずきちんと見ておくことにしましょう。

動物の表面積と体重との関係をグラフにします。スケーリングでは、両対数グラフという特別なグラフ用紙を使います。これは縦軸も横軸も、一目盛ふえると、数値が一〇倍になるような対数目盛になっているグラフ用紙です。一、一〇、一〇〇、一〇〇〇と

図1

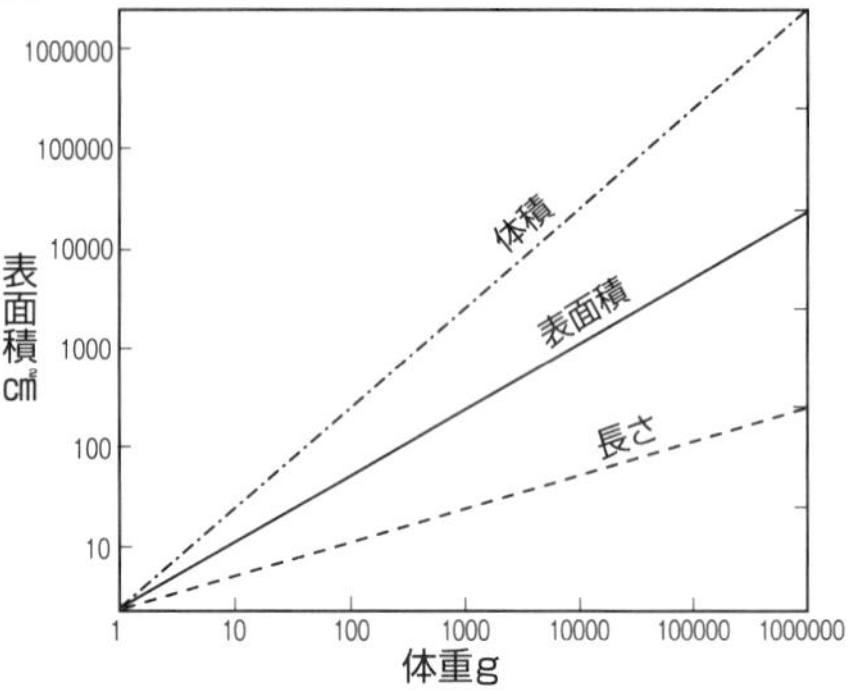

表面積と体重の関係を両対数グラフで表したもの。動物が、さいころ形で水だけでできている（つまり比重が1）と仮定し、横軸に体重を、縦軸に表面積をとっている。参考までに、長さや体積がどう変化するかを破線で示してある。直線の傾きは、表面積では2/3、長さでは1/3、体積では1になる。

目盛が増えていきます。

このグラフ用紙を使って、横軸に体重をとり、縦軸に表面積をとると、傾きが三分の二の直線になります（図1）。両対数グラフで直線になるとは、べき乗の関係で表されることを示しています。つまり、なんとか乗という関係ですね。この場合、直線の傾きが三分の二だから、表面積が体重の三分の二乗に比例するということが、グラフから分かります。三分の二乗とは、体重が三桁、つまり一〇〇〇倍になると、表面積が二桁、つまり一〇〇倍になるという関係です。体重が体長の三乗に比例しており、表面積は体長の二乗に比例しているから、三分の二乗になるのですね——ここまでが準備です。

動物のスケーリングの例として、体の大きさとエネルギー消費量の関係について、まず見ていきましょう。これについては、よく調べられてきました。なぜなら、動物が、どれだけ餌を食べるかが、これと直接関わってくるからです。

動物は餌を食べねばなりません。生きるためにはエネルギーが必要で、そのエネルギーを、動物は餌から手に入れています。

動物は、これほど複雑で精巧に働く体を作って動かしているのですから、当然、多大なエネルギーを使います。どれだけのエネルギーが必要か、つまりどれだけ食わねばならないかは、きわめて重要な問題です。

エネルギー消費量は体の大きさで変わってきます。これは当然でしょう。大きければ生きている組織の量が多いのですから、たくさんエネルギーを使い、たくさん食べる必要があるはずです。

酸素を使って食物を「燃やして」エネルギーを得る

エネルギー消費量と体重との関係を調べることにしましょう。エネルギー消費量は酸素消費量で測ります。動物は食物を食べ、それを、酸素を使って体内で「燃やして」エネルギーを得ています。酸素をたくさん使えば、それだけエネルギーをたくさん使っているのですから、酸素消費量がエネルギー消費量のよい目安になるのですね。

食物といってもいろいろありますが、中に含まれている炭水化物、脂肪、タンパク質の三つがエネルギーの元になります。厳密なことを言えば、栄養素の種類によって、得られるエネルギー量が違ってくるのですが、大変都合のよいことに、どの栄養分を燃やしても、同量の酸素を使えば、ほぼ同量のエネルギーが得られるのです。だから酸素消費量を知ると、エネルギー使用量が、かなり正確に算出できます。

動物は、酸素を使って食物を燃やして、ＡＴＰ（アデノシン三リン酸）という化学物質をつくります。これにエネルギーを蓄え、必要に応じてＡＴＰを分解してエネルギーをとり出します。

体内にあるＡＴＰ量は、それほど多くはありません。だから酸素を使って絶えずＡＴＰを作って補充してやらないと、たちまち分解されてなくなってしまいます。ＡＴＰを作っているのは、細胞の中にあるミトコンドリアです。

私たちは窒息すれば、たちまちお終いになりますね。酸素が入ってこなくなり、ＡＴＰが作れなくなってエネルギーが枯渇して死ぬ。息ができないと数分の命ということは、酸素の蓄えもＡＴＰの蓄えも、ほんのわずかしかないことを意味します。これは測定上、じつに好都合なんですね。酸素量を測ることにより、今、この時点で使っているエネルギー量が分かるからです。

酸素消費量を測るのは簡単な装置でできます。いろいろなやり方がありますが、どれもそれほど困難ではありません。

基礎代謝率のアロメトリー

酸素消費量を測るには、動物を、暑くもなく寒くもなく、その動物にとって快適な環境に置き、しばらく絶食させて、眠ってはいないが安静にしている状況の酸素消費量を測ります。朝起きてすぐボーッとしている時が、だいたいこの状態です。このようにして求めた単位時間あたりの個体のエネルギー消費量を基礎代謝率と呼びます。

基礎代謝率は、なかなか便利なものです。これを知ると、違った状況でのエネルギー消費量も想像がつくからです。エネルギー消費量は、もちろん動物の活動状態により大きく変わります。たとえば目いっぱい運動すると、エネルギー消費量は大きく増えるのですが、この時には基礎代謝率の約一〇倍のエネルギーを使います。また、一日を通して眠って起きていろいろと活動をして消費したエネルギーの平均値は、基礎代謝率のほ

図2

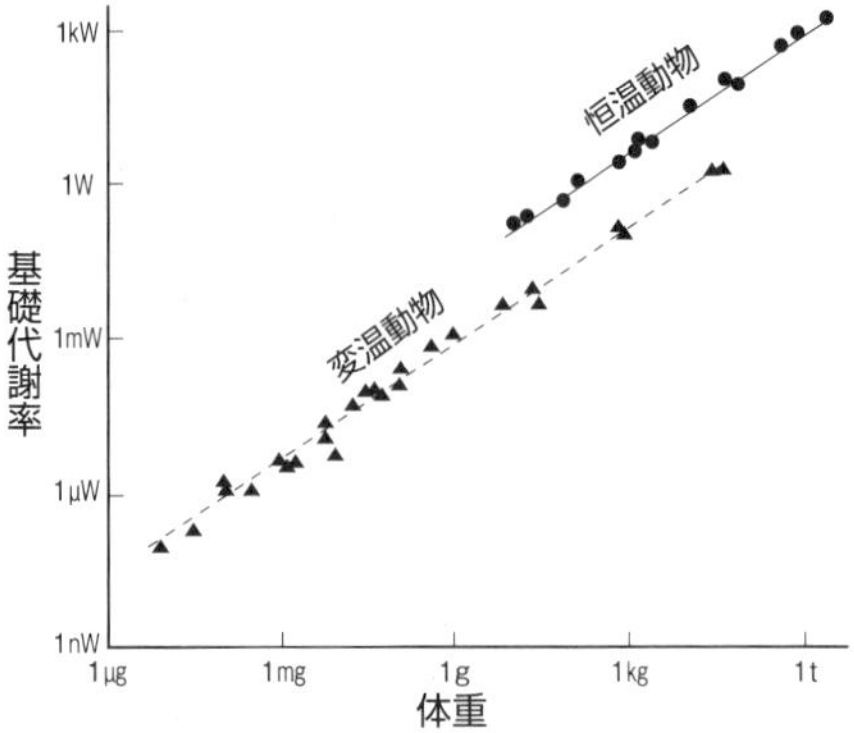

基礎代謝率と体重の関係。両対数グラフ（この場合は縦軸も横軸も、一目盛増えると1000倍になるように目盛ってある）で表すと、恒温動物も変温動物も傾きが3/4の直線になる。ただし変温動物の直線は恒温動物のものより下にくる。

ぼ二倍です。このように基礎代謝率を知ると、動物のエネルギー消費の全体像がつかめます。だから基礎代謝率は便利なのです。

基礎代謝率を、小さいハツカネズミから大物のゾウまで、いろいろなサイズの哺乳類で測って、体重との関係を調べるとどうなるでしょうか。予想としては、基礎代謝率は体重に正比例すると思われます。体重とは組織の量。組織がエネルギーを使っているのですから、エネルギー消費量は、当然、組織の量に正比例するはずです。

ところが実際には、そうなりません。エネルギー消費量は、体重とともに、もちろん増えるのですが、体重ほどには増えないのです。

基礎代謝率と体重の関係を、先ほど説明した両対数グラフに描くと、傾きが四分の三の直線になります（図2の実線）。つまり基礎代謝率は体重の四分の三乗に比例して増えていきます。

四分の三乗とは、体重が一〇倍になると、基礎代謝率が五・六倍になる。さらに体重が一〇倍になると、基礎代謝率もまた五・六倍になるという関係です。

このように動物のスケーリングにおいては、体重のべき乗の関係になることが多いんですね。この体重のべき乗の式をアロメトリー式と呼びます。

四分の三乗則

基礎代謝率のアロメトリー式は、哺乳類ばかりでなく、鳥にもそっくりあてはまります。鳥類も哺乳類も体温が一定の恒温動物。ですから、四分の三乗の関係は恒温動物において成り立つ関係だと言えます。

では変温動物ではどうでしょう？　これも両対数グラフで直線になります。でも、さっきの恒温動物の直線とは違い、グラフでずっと下の位置に来ます（図2の破線）。ただし傾きは恒温動物の直線と同じ四分の三です。このことは、以下の三つのことを意味します。

一、変温動物には、ミミズもクラゲも昆虫も魚も爬虫類も、いろいろなものがいて、形をはじめ体のつくりだって千差万別ですね。これほど多様であっても、基礎代謝率は同じグラフになる、つまり同じ一つのアロメトリー式で書けてしまうのです。とても不思議です。

二、グラフが下に来るので、同じ体重で比べると、変温動物の方が恒温動物よりエネルギーを少ししか使いません。

三、傾きはどちらのグラフも同じ四分の三。体重の四分の三乗に比例するという点では、変温動物も恒温動物も同じです。

今までの話は、体がたくさんの細胞からできている多細胞動物のことでした。では、体が細胞一個でできている単細胞生物ではどうでしょう？　その直線は変温動物のさらに下に来ますが、やはり傾きは同じ四分の三。単細胞生物の基礎代謝率も体重の四分の三乗に比例しています。結局、変温動物であれ恒温動物であれ、単細胞であれ、多細胞であれ、すべてが四分の三乗に比例していたのです。このことは、四分の三乗の背後に生物共通の原理が横たわっていることを予感させます。

そこでこの四分の三乗がどこからくるかが問題になります。これについては、さまざまな仮説があり、どれが正しいのか、まだ決着がついていません。

最も古くからある仮説で、今でも支持者のあるのが、表面積仮説です。四分の三（〇・七五）という数字は〇・六七（三分の二）に近いですね。三分の二とは表面積です。表面積は動物にとって、とても重要だということを、すでに述べました（一〇七ページ）。表面からは酸素が入ってくるし、熱も出入りします。特に恒温動物の場合、体温を一定に保つためにエネルギーをかなり使っています。熱は体表面からどんどん逃げていくのですから、それを補うために燃料を燃やすとすれば、エネルギー消費量は表面積に比例する、すなわち体重の三分の二乗に比例するはずです。

でもこの説は、近頃は旗色があまりよくありません。いくら近いとはいえ、四分の三は、三分の二とは違う数字だからです。

ただしこういう説もあります。ゾウならゾウ、ネズミならネズミと、同じ種の大きいものと小さいものとを比べれば、三分の二になるのだけれど、ゾウからネズミまで、異なる種の間で比べるから、実験条件がそろわないなどの影響を受けて、ずれが生じてしまい、たまたま四分の三に見えるのであって、本当はやはり三分の二なのだ、という説です。——以上が表面積仮説。

もっと新しい仮説で、現在、有力視されているものがフラクタル仮説です。これは血管を使って酸素などを体のすみずみまで運ぶ輸送のコストを最小にするにはどうしたらよいかを、フラクタル理論にもとづいて考えると四分の三乗が出てくるという説です。

他にもいろいろな仮説があるのですが、どれが当たっているのか、決着がつけられません。理由は、実験によって確かめることができないからです。もし表面積が問題だ、というのだったら、ゾウを平らに押しつぶして表面積を増やした「のしゾウ」にしてみて、エネルギー消費量が変わるかを見ればいいのですね。ところが、そんなことはできません。また、同じ動物でいろいろなサイズのものを作って実験したければ、ゾウを切り分けてサイズの違ったミニゾウを作ったり、ゾウを何頭も合体させて超巨大ゾウを作ってみればいいのですが、それもできません。

ホヤに見る組織のサイズと構成員の活動度

そこで私は考えました。ゾウもネズミも細胞が集まって体ができているシステムです。細胞の大きさは動物が違っても、それほど違いません。細胞を作っているタンパク質もそれほど変わりはないし、ＤＮＡだって、結構似ています。つまり、体を構成している要素である細胞は同じ。ゾウは、細胞の数が多いだけのものだとみなせます。だとすると、同じ要素が血管でつながってできている生物のシステムで、サイズや形を操作できるものを見つけ、それを個体のモデルとして表面積仮説やフラクタル仮説が成り立つかどうかを調べてみればいいんですね。

そこで目をつけたのがイタボヤです。これはホヤの仲間。「板ボヤ」という名が示すとおり平たい板状の群体で、サイズの操作も可能です。

このイタボヤ。ホヤと言っても、食べるホヤとはちがい、体が米粒ほどの大きさのものです。このホヤの面白いところは、体の脇腹から芽が出てきて、それが親とそっくりの子供に成長します。形も大きさも、親そっくり。その子供の体からまた芽が出てきて、またそっくりの孫ができる。そのようにして、最初の一匹が元になって、まわりにどんどん子や孫やひ孫が増えていきます。これらは、ずらっと平面上に並び、互いに血管でつながった群体を形成します。サンゴは個体が集まった群体だと申しましたが（一二一ページ）、このホヤも群体をつくるのです。

ふつう、子供をつくる際には、雌雄の生殖行動によって子供ができる、つまり有性生殖をするのですが、このホヤの場合は、親の体の一部から子供ができてきます。親子で姿形のみならず遺伝子も全く同じ。つまりクローンです。このホヤは、全く同じ要素が寄り集まって群体というシステムを構成しているのです。これは個体のサイズの生物学のモデルとして使えるでしょう。

このホヤを使って群体のサイズとエネルギー消費量を調べてみました。この群体は平板状だから、表面積は体重に正比例します。四分の三乗の関係が表面積から生じるのなら、このホヤでは、エネルギー消費量は四分の三乗ではなく一乗に比例しなくてはなりません。そしてフラクタル仮説なら、平らな動物だと、三分の二乗になるはずです。ところがイタボヤで測定したところ、四分の三乗。どちらの仮説にも合いません。

このホヤは、ナイフで群体を切って、小さな群体に分割することができます。また、群体同士を癒合《ゆごう》させて、大きな群体をつくることもできます。こうしてサイズを変えてやっても、エネルギー消費量と体重の関係に変化はなく、同じ四分の三乗の式になります。ですから同一種内でも、四分の三は成り立つものなのです。これらの実験から、今までの仮説は、どれも妥当とは言えないという結果になりました。

そんなこんなで、なぜ四分の三乗なのかは、まだ、説明がついていません。

そうなる理由はどうであれ、一乗ではなく四分の三乗になるという事実の意味するところは重要でしょう。四分の三乗とは、システムのサイズが大きくなると、そのシステムを構成している一匹一匹のエネルギー消費量が減るということです。一匹あたりのエネルギー消費量は、群体の体重の四分の一乗に反比例して減っていきます。エネルギー消費量が減るとは、あまり働かなくなること、つまり大きい組織の中の構成員はサボっているんですね。

この群体を分割すると、一匹の使うエネルギー量が上がります。つまり今まで働かなかった者も、システムを分割すると働き始めるのです。

身につまされる話でしょう？　会社の規模と社員の働き具合にそっくりですね。企業を活性化するために分社化する、なんて話はよく聞きます。人間の場合には、企業の規模を見て、「これだけ大きけりゃ俺一人がサボっても大丈夫」、なんて悪知恵を働かすということはあるでしょうが、このホヤにはそんな知恵があるようには思えません。それでも大きい組織の中では、ホヤもサボります。

だからこれは、純粋にシステムサイズの問題だろうと私は思っています。

考えようによっては、企業と生物はよく似ているのですね。生物とは、生き残って子孫をたくさんふやすという目的をもって、エネルギーを使いながら、体や群体という複雑なシステムを動かし維持しているものです。そして企業だって、生き残って利益をあげるという目的をもって、エネルギーを使いながら複雑なシステムを動かし維持しているものと言えるでしょう。つまり生物も企業も「目的をもって、エネルギーを使って動いている複雑系」という点では同じとみなせます。だからそれらにおいて、システムのサイズとその構成員の活動度との間に、似たような関係がみられたとしても不思議はないと思うのです。サイズの生物学は、人間のつくるシステムにも、ヒントを与えてくれそうなんですね。

国家予算もアロメトリー式で

ゾウとネズミの関係にもどりましょう。体重あたりのエネルギー消費量は、体重の四分の一乗に反比例します。これは細胞一個あたりのエネルギー消費量が体重の四分の一乗に反比例すると言い直せます。この関係からすると、ゾウの細胞は、ネズミの細胞のたった五・六パーセントしかエネルギーを使っていない、つまり働いていないことになります。それほどまでにゾウの細胞はサボっているのです。これはあまりにもひどいとお感じになるかもしれませんが、だてにサボっているわけではなさそうなんですね。

冒頭、足の裏の面積のところで述べましたが、体の大きいものほど、体積の割には表面積が小さくなります。さて、熱というものは体の表面を通して内側から外へと逃げていくものです。ゾウは体が大きいから、熱を発生する組織量が多いのに、熱が逃げ出す表面が少ない。だからゾウはネズミに比べ、体の内部に熱がこもりやすいことになります。

そこでこんな計算をした人がいます。ゾウの細胞がネズミの細胞ぐらいせっせと働いてエネルギーを使うとどうなるかという計算です。働けばたくさん熱が出ますから、それが体内にたまり、ゾウの体温がどんどん上昇します。そして、ついには一〇〇度を超えてしまう計算になります。つまり自分の出す熱でステーキになっちゃうわけです。これはたまりません。だからゾウの細胞はサボっているのではなく、節度をもって働かないのだというのです。

これも身につまされる話ですね。日本は戦後、経済的に急速に大きい国になりました。でも、小さかった時代と変わらずに、国民はがむしゃらに働き続けました。だから自分も焼けこげるし、まわりをも火傷させるんだと非難されて、休日を増やしたんです。国民一人ひとりの生き方にしても、国のサイズにみあったものが、たぶんあるのでしょう。

サイズという視点は、国の政策を考える際にも重要だと私は思っています。予算を立てる際にGDPの何パーセントという議論がよく出てきますが、パーセントというのは正比例の考え方です。動物においては正比例ではなくアロメトリー式になります。経済においても、何でもが、単純に正比例するものでもないでしょう。国策のような重要な場面において、私たちはあまりに安易に正比例の考えを採用しています。

政治や経済の、いろいろなことがらについて、アロメトリー式を作ってみると面白いと思いますよ。GDPの四分の三乗に比例するもの、三分の二乗に比例するものなど、いろいろな例が出てくるでしょうね。

企業の従業員数と部署の人員数も、正比例ではありませんね。社長は従業員数に関係なく一人ですし、総務部の人数も正比例というわけではないでしょう。企業のアロメトリー式を作って、この規模なら総務は何人が適正、などという形で企業診断にも使えそうな気がします。

恒温動物は忙しく、むなしい？

以上、基礎代謝率、つまり安静にしているときのエネルギー消費量を見てきました。

では、活動して寝て、の一日の暮らしに使う平均エネルギー消費量はどうでしょうか？　これもやはり、体重の四分の三乗にほぼ比例しています。

基礎代謝率を、同じ体重の恒温動物と変温動物とで比べると、恒温動物は変温動物の三〇倍ものエネルギーを使います（図2、一四六ページ）。一方、一日平均のエネルギー消費量で比べると、約一五倍。違いの幅が半分になります。それでも恒温動物は変温動物より、桁違いに多くのエネルギーを使っています。

違いが半減した原因は、安静時のエネルギーの使い方が異なるからです。恒温動物は何もしていない時にも、かなりの量のエネルギーを使い続けています。それに対して変温動物は、安静時にはエネルギーをあまり使わず、活動するときに集中してエネルギーを使います。

食べる量と体重との関係はどうでしょう？　これも体重の四分の三乗にほぼ比例します。そして、同じサイズの動物で比べれば、恒温動物の方が変温動物より一五倍たくさん食べます。一五倍。これは、とてつもなく大きな違いです。

私たちの祖先の変温動物が、ある日、目覚めたら恒温動物に変わってしまったと仮定してみましょう。すると、昨日まで虫一匹捕まえて、あとは寝ていればよかったものが、今日からは、虫を一五匹捕まえなければ生きていけない。生活がすごく忙しくなってしまったのですね。もし私たちが今、三度の食事を四十五回に増やせ、そして給料も一五倍かせげ！　などと言われたら、たまったものではないでしょう。もちろん進化の歴史では、こんな突然の変わり方をしたわけではないでしょうが、変温動物から恒温動物へ進化した時に、きわめて大きな生活の変化を伴ったのは、間違いないでしょう。

もちろん、変温動物から恒温動物への変化に伴って、恒温動物はそれだけたくさんの虫を捕まえられるほど効率の良い体になったのだという言い方もできます。変温動物は、外気温が低い時には、体を温めてからしか活動できません。エンジンが温まるまで走れない自動車と同じです。それに対し恒温動物は、エンジンをかけっぱなしにしていて、いつでも発車できるように準備している自動車です。休んでいる時にもエネルギーを使って体を温めているのです。だからすばやくダッシュして効率よく獲物を捕まえられるのですが、こうしていつもキビキビ動けるためには膨大な量のエネルギーを使い続けなければなりません。食べものから得たエネルギーのほとんどは熱として消えていきます。

変温動物では、食べものから吸収したエネルギーの三〇パーセントが肉になります。食べたものが、体重の増加や子孫という目に見えるものに変わります。ところが恒温動物では、食べものから吸収したエネルギーの、なんと九七・五パーセントは維持費として使われ、消えてなくなってしまい、体の成長や子孫という形で肉に変わるのはたったの二・五パーセント。収入のほとんどが維持費で消えてしまうのですから、これはむなしいと言えばむなしい話です。私たち恒温動物は、いつでもきびきびと働けるのですが、そのための代償として、きわめて大きなものを支払っているのですね。

食料生産装置としての変温動物

恒温動物はエネルギーを投入することにより、即座に速く正確に動けるようになり、現在の繁栄に到っています。ただし非常に多くのエネルギーを必要とするため、ムクムクと成長することや子孫をたくさんつくることができないのです。この点に関しては、変温動物に到底かないません。つまり同じ元手で高性能の機械を一台作るか、それほどでもないものを何台も作るかという選択でしょうね。どちらを選択しても、ちゃんと生き残っています。

ただし単純に肉の生産装置として見るならば、変温動物の方が恒温動物よりずっと効率が良いのは確かです。同じ量の餌を与えても、変温動物の方が一〇倍も多くの肉を生産します。

　具体的に見ておきましょう。ここに一〇トンの草の山があるとします。これを総体重一トンの動物に食べさせると、どれだけの肉ができるかを、変温動物と恒温動物とで比較してみます。

　まず恒温動物として、体重五〇〇キロのウシ二頭（体重合計一トン）に食べさせたとします。ウシは草の山を一四ヶ月かかって食べ切って、その時の体重の増加は、二頭あわせて二〇〇キロになります。

　この草を体重二キロのウサギ五〇〇羽（総体重は同じく一トン）に食べさせても、できる肉の量は恒温動物ならみな同じで、二〇〇キロです。ただし時間が違います。第八章で扱いますが、小さいものでは時間が早いのです。同じ量の肉ができてくるのに、ウシが一四ヶ月なのに対し、ウサギでは三ヶ月しかかかりません。

　それでは一〇トンの草を同じ体重一トンの変温動物が食べたとしましょう。体重一グラムのイナゴ一〇〇万匹に食べさせる。するとイナゴは九ヶ月かかって草の山を食べ尽くし、その時には新しく二〇〇〇キロのイナゴ、つまり二〇〇万匹になっている計算になります。同じ量の草を食べさせても、恒温動物なら二〇〇キロ、変温動物ならその一〇倍、二〇〇〇キロの肉ができるのです。

食料問題は二一世紀の大きな課題です。この解決策を考えるにあたって、変温動物なら一〇倍も収量が上がるという事実は覚えておくべきことでしょう。だからイナゴを食えとは申しませんが、魚も変温動物ですので、魚介類を好む日本人の食生活が、この点からも評価されるべきだと思います。

また同じ恒温動物を食べるにしても、サイズの小さいものを食べた方が効率的です。ウシでは一四ヶ月かかるのに、ウサギでは三ヶ月。

だから、恒温動物よりは変温動物を、大きい動物よりは小さい動物を食べた方が、効率が良いことになります。ステーキを食べるのは、じつに贅沢なことなのですね。

ステーキは、別の観点から言っても贅沢です。穀物を食べさせてウシに肉を作らせているのですが、そんなことをするより、われわれが直接穀物を食べた方がずっとむだが出ません。食料問題から考えれば、ビーフステーキ、ビーフバーガー、牛丼、これらを賞味する文化は、問題が多いと言わざるを得ませんね。

第八章　生物の時間と絶対時間

感じる時間と絶対時間

生物の形、さらにサイズの話をいたしました。サイズと形とは、生物が空間をどのように占めているかに関わることです。そして空間は、時間とセットになって、存在の基礎となっています。今まで空間の方を見てきましたので次に、動物の時間がどんなものかを考えていくことにします。

とはいえふつう、時間とは時計で計るもので、すべてに共通、動物だからといって、とりわけ別の時間があるとは考えませんね。

古典物理学では、絶対時間という考え方をします。時間は万物共通で、常に同じ速度で一直線に一定方向に流れていって戻らないもの、これが絶対時間、すなわち時間なんだと古典物理学は教えます。現代人の自然観は古典物理学が基礎になっていますから、時間などみな同じというのが常識です。でも、そこのところを問題にしてみたいのですね。

私が動物の時間について考えるようになったのは、沖縄暮らしがきっかけでした。今から三〇年も前のことです。当時の沖縄の暮らしぶりはゆったりとしていて、南国の時間は、じつに、たっぷりゆっくり流れるものなんだなあと、感じ入りました。

沖縄でナマコの研究を始めました。まず海の中でナマコがどんなことをやっているのか観察したのですが、いくら見ていても、ナマコはさっぱり動かない。見ていてしびれがきれるくらい動かない。そこで、はた、と思ったのですね。こんなにノテーッとしている動物に流れている時間と、われわれみたいに、せかせかしている動物の時間とは、はたして同じなんだろうか。人間の社会生活の時間もさまざま、動物の時間もさまざまなのかもしれない。そもそも時間ってなんなんだろう？　と、疑問に思ってしまったのです。

そこで、生物の時間について、いろいろ本を読んでみました。時間生物学という分野があって、さかんに研究がなされています。でも、そこで取り上げられていたのは、一日のリズムばかりでした。

われわれは朝起きて、夜寝ます。活動に一日のリズムがあります。ゴキブリでもそうです。夜出てきて昼、隠れる。生物は、ほぼ二四時間のリズムをもっており、これがサーカディアン・リズム（概日リズム）と呼ばれるものです。植物も単細胞のシアノバクテリアも、このリズムをもっています。ヒトの場合はリズムを作り出す時計は脳の神経細胞の中にあり、細胞中の遺伝子が、約一日のリズムを刻んでいます。一日という天体のリズムと同じものを、生物みなが持っている、つまり生物に流れている時間も、万物共通の絶対時間と考えられるわけです。だからでしょう、時間生物学の本のどこをさがしても、生き物によって時間が違うなどということは書いてありませんでした。

でも小説や哲学になると、すべてが絶対時間とはなりません。

ミヒャエル・エンデに「モモ」という時間泥棒の話があります。それに時の番人みたいなおじいさんが出てきて、こう言います。

「光を見るためには目があり、音を聞くためには耳があるのとおなじに、人間には時間を感じとるために心というものがある」

目という感覚器官は、外界に存在する光、つまり電磁波を感じています。耳は空気の粗密波《そみつは》を感じます。でも時間を感じる感覚器官など、どこにあるのでしょう？　感覚器官がないとすれば、時間というものも、体の外側に実体として存在していないのかもしれません。確かに、ここに時間を出してみせてくれと言っても、そうはいきません。

エンデは時間を感じるのは心だと作中人物に言わせていますが、これはアリストテレスが書いていることです。心、つまり心臓が時間を感じる、だから「時間は心がなければありえない」と彼は言います。アリストテレスは時間を「前後に関する運動の数」と定義しました。もし心臓がドキドキと打つのが時間のカウンターだとすれば、心拍数が違えば感じ取る時間も違うことになってきます。

時間の四分の一乗則

ここで時間にサイズの生物学が関係してきます。今から八〇年ほど前に、いろいろなサイズの哺乳類で、心臓一拍の時間を計った人がいました。

私たちの心臓は一分間に六〇～七〇回のペースで、かなり規則正しく打っています。一回のドキンはおよそ一秒です。

ところがハツカネズミのドキンは〇・一秒もかかりません。もう少し大きいドブネズ

図3

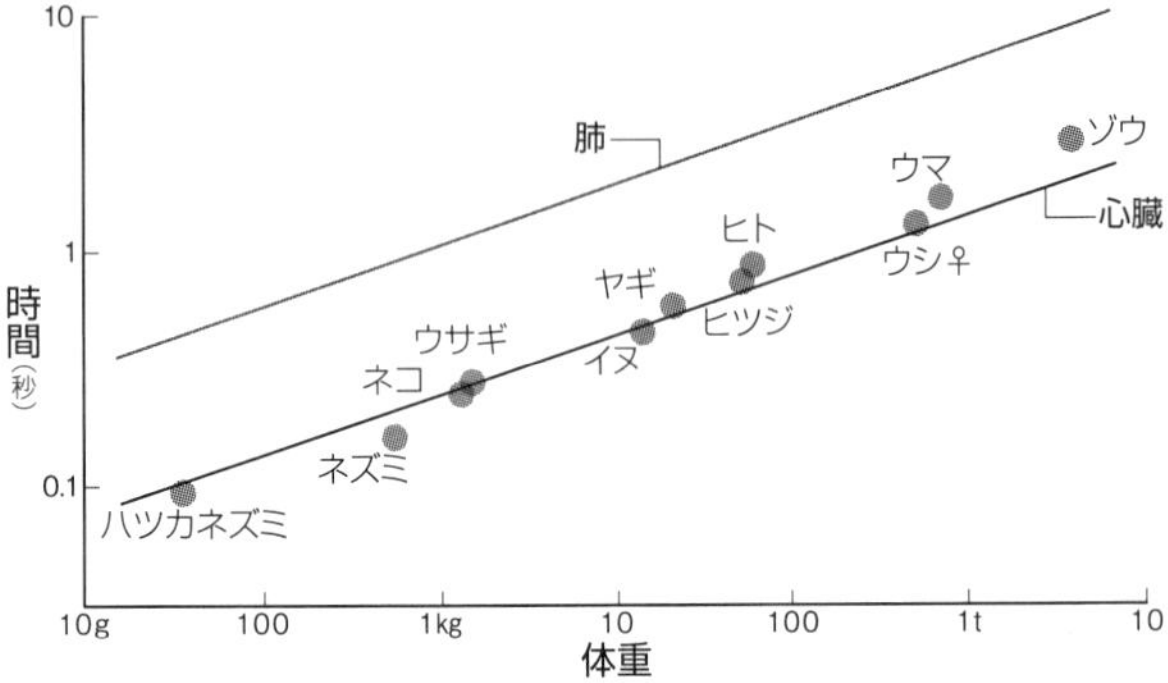

心臓が1拍打つのに要する時間と体重との関係。1拍の時間はほぼ直線上に並び、直線の傾きは1/4になる。この直線のより上方に描いた直線は、肺が1回動くのに要する時間と体重との関係。これも心臓のものとほぼ平行な直線となる。すなわち心臓の時間も呼吸の時間も、体重の1/4乗にほぼ比例することが分かる。ただし肺の線は心臓のものより上なので、1回動くのに要する時間は、より長い。

ミでは〇・二秒、ネコで〇・三秒、ヒトで一秒、ウマで二秒、ゾウで三秒というふうに、サイズの大きい動物ほど一拍の時間が長くなります。

ここでスケーリングのやり方に従って、体重と心拍の時間の関係を、両対数グラフに表してみましょう。すると、点はほぼ直線上に並んできます（図3）。だから、アロメトリー式で表せる関係になるのです。直線の傾きは四分の一。心臓の時間は体重の四分の一乗に比例します。

四分の一乗ですから、体重が増えると時間が余計にかかるようになりますが、体重に正比例して長くなるわけではありません。体重が一〇倍になると、時間は一・八倍ゆっくりになる。体重がさらに一〇倍になると、時間は、また一・八倍長くなるというのが、四分の一乗の関係です。

　こんな関係になるのは心臓に限ったことではありません。息を一回吸って吐くのにどれくらい時間がかかるかを、いろいろなサイズの動物で計り、アロメトリー式を求めてみます。肺の動きは心臓の動きよりゆっくりしていますね。だから式は心臓のものと同じにならないのは当然ですが、肺の動く時間もやはり、体重の四分の一乗に比例するのです。

　腸が食物をじわっじわっと送る、その一回の「じわっ」の時間も体重の四分の一乗にほぼ比例します。それと関係するでしょうが、食べてから排泄される時間も、やはり四分の一乗に比例します。飲んだものが出てくるまでの時間もそうです。

　ここまでの例は、いろいろな生理現象に関わる時間でした。ではもっと長い、一生に関わる時間はどうなのでしょうか？

　ここでもやはり時間は体重の四分の一乗に、ほぼ比例します。哺乳類の場合、子供は母親の胎内で過ごしてから生まれ出ます。この懐胎期間は、私たちだと十《と》月十日《つきとおか》ですが、ハツカネズミは二〇日、ゾウでは六〇〇日もおなかの中にいます。懐胎期間もやはり体重の四分の一乗に比例しています。

成獣のサイズに達する時間も体重の四分の一乗にだいたい比例します。そして寿命という時間も、そうなのです。大きいものほど寿命が長く、小さいものは短命です。

これらはほんの一例です。哺乳類と鳥類（恒温動物）において、時間に関わる現象と体重との関係が、さまざまな例で調べられてきました。そのほとんどが体重の四分の一乗に、ほぼ比例します。だから「動物の時間は体重の四分の一乗に比例する」と一般化できそうです。

ゾウの時間・ネズミの時間

体重の四分の一乗ですから、体重が一〇万倍違えば、時間は一八倍違うという計算になります。ちなみにこれは三〇グラムのハツカネズミと三トンのゾウの違いに相当します。ゾウでは、時間がネズミよりも一八倍ゆっくりと進んでいるのかもしれません。

この違いを実感するために、以前テレビでこんな映像を作りました。私が盛りソバを食べているところを撮影し、それを一八倍ゆっくりのスローモーションで再生したり、一八倍速送りにしたりして見比べてみたのです。

スローモーションにすると、画面はほとんど止まっているといってもいいくらいです。一方、早送りにしますと、箸もソバもピュッと動き、あっと言う間にソバの山はなくなってしまいました。

これがそのままゾウとネズミに当てはまるとしますとね、ネズミから見ると、ゾウなんて全然動かないように見えるわけで、「あれは生きているのかしら？」と生存を疑うかもしれません。逆にゾウがネズミを見れば、ネズミなんてピュッといなくなってしまうでしょうから、「あんなもの、はたしてこの世にいるのかねぇ？」と、存在そのものまで、疑わしく感じるかもしれません。

もちろん実際にどう思っているかは分かりませんが、ゾウとネズミのようにこれだけ生きるペースが違っていれば、世界の見え方や、時間のもつ意味や、その時間を使っての生き方が、動物ごとに大きく異なっていても不思議ではない気がします。

心臓時計は一五億回で止まる

動物の時間はこのように異なっているのですが、別の見方をすると同じものにも見えてきます。その動物の心臓の動きを時計としてみましょう。心臓時計ですね。息を一回吸って吐く間に心臓が何回打つか、脈をとって計ってみて下さい。一呼吸の間に、脈はほぼ四回打ちますね。これは他の動物でも変わりません。肺が一回動くのに要する時間は、心臓時計四拍分です。これはゾウでも、ネズミでも成り立ちます。

心臓時計を使って、もっといろいろな時間を言い直してみましょう。腸が一回じわっと蠕動《ぜんどう》する時間は心臓時計一一拍分。血液が全身を一巡りしてまた心臓に戻ってくるまでの時間は心臓八四拍分。親の心臓が二三〇〇万拍打つと子供が生まれ出て、心臓が一五億回打つと、みんな死ぬ。

ハツカネズミの寿命は二~三年、インドゾウは七〇年ちかく生きるものです。時計の時間で比べれば、ゾウは桁違いに長生きですが、一生に心臓が打つ数は、どちらも同じ一五億回なのです。

生涯エネルギーは三〇億ジュール

時間は体重の四分の一乗に比例します。四分の一乗という数字に、おや? と思いませんか。そう、体重あたりのエネルギー消費量が、体重の四分の一乗に反比例していましたね(一五二ページ)。時間もエネルギーも、どちらも同じ四分の一乗。ただし時間が正比例でエネルギー消費量が反比例。だから時間とエネルギー消費量とは、反比例することになります。

反比例するもの同士を掛け合わすと、一定値になりますね。時間と体重あたりのエネルギー消費量とを掛け合わせると、体重によらない一定値が出てきます。

たとえば時間として心臓一拍の時間をとり、これに体重当たりのエネルギー消費量を掛けると、答えは二ジュール。一回ドキンと打つ間に一キログラムの組織が使うエネルギーは二ジュールなのです（ジュールとはエネルギーの単位）。

心臓一拍の間に二ジュール。これはゾウもネズミも私たちであっても同じです。ただしゾウは一回のドキンに三秒かかるので、三秒で二ジュール使うのですが、ネズミはたった〇・一秒の間に同じ量のエネルギーを使うのです。

ではエネルギー消費量に寿命という時間を掛けてみましょう。すると一生の間に使うエネルギーは三〇億ジュールと計算できます。ゾウの寿命は約七〇年。七〇年間に三〇億ジュール使います。ネズミの寿命はせいぜい三年。三年の間に、やはり三〇億ジュール使うのです。

結局、一生の間にゾウもネズミも心臓は一五億回打ち、どちらも同じく三〇億ジュール分の仕事をして死ぬ、というわけです。

　時間と体重当たりのエネルギー消費量とは反比例しています。だから「時間分の一」、つまり「時間の進む速さ」がエネルギー消費量と比例するのです。結局、動物の体の中では、エネルギーを使えば使うほど時間は速く進んでいきます。そして一生の間に使えるエネルギーはみな定まった同じ量なので、速い時間の動物は短命ということになるのです。

F1ネズミvsファミリーカーゾウ

　以上の結果を自動車にたとえてみましょう。ネズミはF1レーシングカーです。ガソリンをどんどん燃やして、エンジンをフル回転させ、猛スピードでブッとばします。速いことは速いのですが、壊れるのも早い。一方、ゾウはファミリーカーですね。ガソリンを少しずつ使ってトロトロ走り、スピードは出ないけれども、長いこと使えます。

　このように速度や耐用年数には大きな違いがあるのですが、車の一生の間にエンジンが回転する総数はどちらも一五億回。そして、一生に走り切る総走行距離も同じになります。

普通に考えれば「ゾウは大きくて長生きで偉い、それに比べてネズミなんて、ちっぽけですぐに死んじゃって哀れなやつだ」という感想をもってしまいがちです。でも、ネズミは短いけれど、エネルギーをたくさん使って一生を駆け抜けていく。一瞬一瞬が、ものすごく密度の高い時間なのです。逆にゾウは長いと言っても、エネルギーを少しずつしか使わない。細く長〜く生きているのですから、「密度の薄いスカンスカンの人生」という見方だってできるでしょう。どちらが偉くてどちらが哀れか、時間の見方を変えると、まったく違って見えてくるものなのです。

ゾウもネズミも、一生に同じだけのエネルギーを使う、つまり同じだけ仕事をするのですから、生涯を生き切った感慨は、変わらないかもしれません。

回る時間と真っ直ぐな時間

ここまで生物の時間と呼んできたものが、どんな性質なのかを、もう少しはっきりさせておきましょう。心臓がドキンドキンと繰り返し打っている、その一回分の時間や、肺が呼吸を繰り返す、その一回の時間、つまり、体の中で繰り返し起こっている現象の一回分の時間が、ここまで時間と言ってきたものです。繰り返しだから、クルッと回って元に戻る、その一回転の時間、つまり周期ですね。周期を時間ととらえています。

寿命は私たちにとっては、一回きりで繰り返しはききませんが、親が生まれて死んで、子が生まれて死んで、孫が生まれて死んで、という世代交代の繰り返しの単位が寿命だと見ることができます。その大きな一回転の、このあたりで生まれ出て、成熟し、老いて、と時間が配置されていると考えれば、これらの時間も、やはり回る時間ととらえてもいいでしょう。回る時間が生物の時間です。一方、古典物理学の時間は、まっすぐに流れ去っていく「直線的時間」です。

じつはこの二つが古来、時間の代表的なとらえ方なのです。

私たち日本人は回る時間の中で生きてきたようです。六〇歳で還暦。暦（つまり時間）が回って還《かえ》ってくるのだから、これは時間が回るという考え方です。仏教では輪廻《りんね》転生と言いますね。生まれ変わるたびに時間がゼロにリセットし、くるくる回っています。

直線的な時間をもつ人びとの代表はキリスト教徒です。キリスト教においては、神がこの世をお創りになった時から世の終末まで、神の時間が一直線に流れて行きます。神の時間は絶対的なものです。

これがニュートンを通して物理学に入ってきました。ニュートン力学が成り立つためには、必ずしもこのような時間の概念は必要なかったのですが、敬虔なクリスチャンであるニュートンとしては、時間は当然、神の時間であり、絶対的で一方向に真っ直ぐ流れると考えたのでした。だから絶対時間とは一種の信仰の産物です。古典物理学は、世俗化したキリスト教とも言える一面をもっているのです。

じつは時間生物学の教科書の中には、ここでお話しした話題は取り上げられていませんでした。サイズの生物学の文献中に出てきたのです。これは理解できることですね。西洋人は回る時間をサイクルと呼び、タイムと呼ぶことに抵抗を感じるようなのです。サイクルは時間（＝タイム）に入れてもらえないんですね。

式年遷宮に見る生命観

古典物理学の時間は、エネルギー消費量によって変わるようなものではありません。でも、生物の回る時間は変わります。どうしてでしょう？　この問題に答えるには、そもそも生物とはどのようなものかを考える必要があります。

私は、生物とはずーっと続くようにできているものだと考えています。地球の歴史は四六億年。生物の歴史は三八億年と言われています。続くようにできているからこそ、三八億年もの長い間、生物はこうして続いてこられたのです。

私たちをはじめ、生物というものは、こんなに複雑な体をもっています。そういう体をもったものがずっと続いていく。どうやったら、ずっと続く体を作ることができるでしょうか？

体は構造物だから、建物を例にとって考えると分かりやすくなるでしょう。ずっと続く建物をどうやったら作れるのか。単純に考えれば、絶対壊れないように作ればいいということになりますが、それは不可能だというのが熱力学の第二法則です。秩序だったものは、時が経てば無秩序になっていく。すなわちエントロピーは増大する。形ある物は、いつかは壊れるのです。絶対壊れない建物をたてることはできません。

じゃあ、壊れたら直し直しいけば、ずっと続くだろう、という考えは、当然出てきます。こうやって法隆寺などは続いています。でも古いものは世界遺産や国宝というような形で、腫れ物にさわるように扱っているのが現状でしょう。それに対して、生物の体は、跳んだりはねたりと、いつも現役で激しく働く必要があるのですから、直し直しというやり方も、なかなか実現性の乏しいやり方です。

とすると、ずっと続く建物を作るのは無理かというと、やり方があるのですね。伊勢神宮です。形あるものは壊れるに決まっている。だったら壊れる前に、定期的にまったく同じものを建て替えていけばいい。伊勢神宮は二〇年ごとに式年遷宮《せんぐう》を行って、そっくりのものに建て替える。こうして一三〇〇年たった今も、木の香も新しく、現役で機能しています。これはずっと続いていく建物を作る、じつに優れたやり方です。

生物は伊勢神宮方式を採用しているのですね。体は使っていればすり切れてきます。アンチエイジングなんて言って、いくら手をかけても、いったんガタがきたものは、元通りにはなりません。ガタが来たら、そんなものはさっさと捨てて、新しく、そっくりのものを作ってしまえばいい。それが子供を作るということです。自分そっくりの子を作り、自身は土に還っていきます。新たに作り替えるのですから、時間はそこでゼロに戻ったとみなせるでしょう。ここでは時間が回っています。作り替える作業を繰り返し、時間を回し続けていけば、永続できます。

だから子供は私なのですね。この私は使っていると磨《す》り減ってくるから、次の新しい私を作る。その次の私として孫をつくる。こうして私、私、私と渡していくのが私であり、そうやって私はずーっと生き続けるのです。

時間の回転とエネルギー

体であれ建物であれ、作り替えるには多大なエネルギーがいります。作り替える、つまり時間を一回転させるごとにエネルギーがいるのですから、回転速度とエネルギー消費量とは比例する。時間の速度がエネルギー消費量に比例するわけです。

これは子供をつくるという、世代交代に限られた話ではありません。たとえば筋肉が収縮する場合もそうです。筋肉の細胞の中には、ミオシンという太い繊維と、アクチンという細い繊維がぎっしり詰まっています。ミオシンの繊維から手が出ており、これがアクチンの繊維を捕まえて、カクッと手首を曲げます。するとその分、ちょっとアクチンの繊維が動いて、わずかに収縮が起こります。次に、曲がった手首のところにATPの分子がくっついて、エネルギーを供給します。すると手首はアクチンを手放して、また、曲がる前のまっすぐな状態になります。そうなると、再度、ミオシンの手は、アクチンを捕まえて、カクッと手首を振ることができる。こうして、つぎつぎに手首を振りながら、筋肉は縮んでいきます。

手首がカクッと曲がって働いたということは「壊れた」とも言えます。そこにATP

のエネルギーを注入して修理し、元の形にもどす。そうして新たに働けるようにしている。これで時間が一回転して元に戻ります。

時間を一回転させるのに一定量のエネルギーを使っています。早く何度も回れば、収縮速度が上がり、それに比例してより多くのエネルギーを使うことになります。つまり筋肉においても、時間の速度とエネルギー消費量とが比例しています。筋肉は、体のエネルギー消費量のかなりの部分を占めているものです。そこにおいてもこうなのですから、動物全体のエネルギー消費量と時間の速度が比例するのは、もっともなことでしょう。

私たちの体内には回るものがたくさんあります。血液の循環はその代表でしょう。細胞内での物質やエネルギーの代謝経路でも、多くのものが回転しています。光合成の中心に存在するのがカルビン回路ですし、われわれの体内で食物からエネルギーを生み出す中心となっているのがクエン酸回路です。この二つの回路がなければ生物のエネルギー生産は成り立ちません。

結局、続くものをデザインしようとすれば、回せばよいのです。生命は回るデザインをもつことにより、ずっと続くことを可能にしているのですね。

生命は死ぬけれど死なない

月は満ちていき、そして欠け、尽きてしまいます。でもまたよみがえってきて満ちていく。これを繰り返します。ニコライ・ネフスキー（ロシアの東洋言語学者）に「月と不死」という論考がありますが、それによると、古代の日本人は、月に不死を見ていました。不死とは死ぬことがないことじゃないんですね。死んでよみがえり、死んでよみがえりを繰り返していくことが不死なんだ、というのです。これは、じつに正しい生命観だと思います。

生物的時間は回ります。生物の時間は円くデザインされているのです。もちろんエントロピーは増大しつづけますから、その意味では、時間は直線的に流れていって元には戻らないのですが、生きものは、エネルギーを注入することによりエントロピーの増大を抑え、元の秩序だった体に戻しています。ここが物理的時間と生物的時間の、大きく違うところです。生物はエネルギーを注ぎこむことにより時間を戻しているのです。

ただし元に戻るからと言って、時間に方向性がないわけではありません。子供は大人になりますが、大人が子供に戻ることは起こらないのです。生物の時間の回転は一定方向で、逆回りはしません。この回転方向を決めているのがエントロピーです。生物は一定方向に回りながら元に戻るのを繰り返しています。

個体の一生の時間は、一方向に流れて行き、元には戻りません。でも、世代交代という視点で見れば、時間はクルクル回って元に戻ります。生物の時間には二面性があるのですね。

古代のギリシャ人は、このことを認識しており、生物に対して、ビオスとゾーエーという、二種類の言葉を使っていました。ビオスとは、一回きりの個体の命。ゾーエーとは親から子へとずっと受け継がれていく継続する命。生物には二面性があることを、きちんと別の言葉で言い表していたのです。

必ず死ぬものでありながら、ずっと続いて行きもするもの。その両面を、この私という命は持っているのですね。死ぬにもかかわらず生き続ける。完全に矛盾するものが同居しているのが私というものです。西田幾多郎的に言えば「絶対矛盾的自己同一」。現代人は、個体のこと、つまり一直線に進んで必ず死で終わる時間しか考えない傾向がありますが、生命の時間には、回って続くという側面のあることを、忘れないようにしたいものです。

第九章　「時間環境」という環境問題

「便利」は速くできること

私たちが直面している問題に、環境と資源エネルギーの問題があります。これら二一世紀の大問題に、時間という視点から迫ってみることにしましょう。時間の見方を変えると、これらの問題が、異なる姿を現してきます。

第八章で、生物の時間についてお話ししました。時間は動物によって変わります。エネルギー消費量に比例して時間が速くなるのです。

この関係に気づいたとき、おや？　これはどうも人間の社会活動にも当てはまりそうだぞ、と感じました。たとえば車。ガソリンを燃やせば、びゅんびゅん走って目的地に速く着けます。だから、エネルギーを使うと時間が速くなるのです。車は時速六〇キロ、徒歩なら四キロです。移動速度は一五倍。車によって時間が一五倍速くなっています。

コンピュータもそうです。複雑な計算も速くできるし、情報も即座に検索できる。電子メールを打てば、あっと言う間に世界中に届きます。コンピュータを使えば、時間が短くて済むのです。

コンピュータの演算速度を速めようとすればするほど、エネルギーを注ぎ込まなければいけません。そのエネルギーは最終的には熱になります。スーパーコンピュータでは、この熱の処理が大問題になっています。つまり、コンピュータを動かすには、たくさんのエネルギーを使いますし、コンピュータを作るのにだって、インターネットのシステムを構築するのにだって、多くのエネルギーが必要です。だから、ここにおいてもエネルギーを使うと時間が速くなっています。

車とコンピュータ。二〇世紀前半の技術を代表するのが車で、後半から今を代表しているのがコンピュータでしょう。そのどちらもが、エネルギーを使って時間を速めるものなのです。

これらだけではありません。身のまわりのほとんどの機械が、エネルギーを使って時間を速めるものばかりです。飛行機、携帯、工場の生産ライン、家庭内では全自動洗濯機や電子レンジ。これら文明の利器と言われるものは、便利なものです。「便利」とは速くできることと言い替えられますから、結局、エネルギーを使って時間を速めるのが文明の利器なのですね。

現代人は超高速時間動物・恒環境動物

エネルギーを使って動かしている機器の中には、時間と関係のないものももちろんあります。夏の電力消費の大きな部分はクーラーですが、これは時間と直接の関係はありません。とはいえ昔だったら「夏は暑いねえ〜」と、うだーっとしていたところを、涼しく気持ちよくして休みもとらずにバリバリ働いているわけですから、これも時間を速めるのに、大いに貢献しています。冬の暖房もそうです。

電灯だってそうでしょう。明かりをつけると、夜も休まず働ける。その分、社会の時間は速まります。

コンビニで二四時間、思い立った時に欲しい物がすぐ手に入ります。コンビニエントとは、いつでもどこでも、待たずにさっとできるということ。現代社会は、不活発な時間をどんどん排除して、いつも活発に働けるコンビニエントな社会を作り上げてきました。こういう社会を作り上げるために、莫大なエネルギーが使われています。

この話は第七章でふれた、変温動物から恒温動物への進化を、何となく思わせませんか（一五七ページ）。

変温動物は体温が下がっている時には動けません。動くためには、まず体を温めて、それから、やおら動く。車にたとえれば、普段はエンジンを切っておいて、走るときにスイッチを入れ、エンジンを暖めて、そうしてはじめて走り出せるのです。それに対し恒温動物は、エンジンをかけっぱなしにしておき、いつでもダッシュできるよう準備しています。「いつでもどこでもすぐに」を目指しているのが恒温動物なのです。

恒温動物、つまり体温が一定になると、どんな良い点があるのでしょう？　筋肉の収縮も、もちろん化学反応が基礎になっていますから、温度が高ければ速く縮むし遅ければゆっくりと縮みます。つまり体温が下がっていれば、さっきと同じタイミングで餌を捕まえようとしても体の動きはゆっくりになり、餌を逃してしまうおそれも出てくるのです。それに対して体温が一定ならば、すべての事象がいつも同じ速度で繰り返せるので、予測もたてやすくなりますし、体内の統制もとりやすくなるでしょう。もし体の右半分が日向にあり左半分は日陰になっていて、右足と左足の動く速度が違うなどということが起こったら、うまく歩くことすらできません。体内の温度を一定に保つのは、大いに意味があります。精密機械や高速コンピュータなどは、温度が一定に保たれた部屋に置かれているものです。結局、恒温動物とは恒時間動物なのですね。体温を一定にして、時間の速度を常に一定に保っているのが恒温動物です。

私たちの体温は三七度で一定です。なぜ三七度なのかは分かっていないのですが、これは外気温よりかなり高い、つまり高温なんですね。恒温動物は体温が一定だから恒温動物と呼ばれるのですが、高い体温という意味での高温動物でもあるのです。

体温が高いとどんな利点があるのでしょうか?

温度が高ければ化学反応は速く進みます。温度が一〇度上がるごとに化学反応の速度が二倍〜三倍になります。生体内で起こるほとんどの事象に化学反応が関わっていますので、体温が高いと、よろずの事が速くできることになります。情報処理もさっとできるし、すばやく動けるので、餌をとるにも敵から逃げるのにも、のろい生きものを打ち負かすことができるでしょう。ただし高い体温にして、体の中のさまざまな反応が速くなればなるほど、各反応間のタイミングを合わせるには、時間がぴったりそろう必要があります。体温が高く高速になるということは、時間の速度も一定に保つ必要が生じ、だからこそ体温を一定に保つ恒温動物になるのだと思います。

私たち恒温動物は大変な量のエネルギーを使って体温を高く一定に保っていますが、これは、時間を速く一定の速度に保つためだと考えられます。

現代人の場合も同じでしょう。現代人は社会の時間を超高速度にしています。超高速だからこそ、少しでも遅い部分があると、たちどころに渋滞が起こる。だから皆、時間をキッチリと守る必要があるのですね。現代では守るべき社会のルールがはっきりしなくなってきていますが、唯一守らなければならないものとして合意されているのが、時間。納期や手形の決済日、アポイントメントを守るのが、サラリーマンの最も大切なルールになっているように思えます。そして現代人の能力は、決められた時間に間に合うように仕事を仕上げられるかどうかで計られているのではないでしょうか。大学入試センター試験など、黒丸を塗る速度を計っているような気がするのですけれど。

私たち現代人は超高速時間動物なのですが、最近は、さらにそれがエスカレートして、環境条件まで一定に保つ、恒環境動物へと進化しつつあるように見えます。

気温という環境は、クーラーと暖房で、いつも快適な温度に一定。冬でもハウス栽培の果物が食べられる。

いつも働けるように夜も皎々《こうこう》とライトで照らす。明るさという環境も一定。このように環境そのものを一定にして、何でも即座にできるようにして、時間の速度を速めています。

こうして、夜もインターネットで海外と取引できるようになりました。これは便利と言えば便利ですが、夜とは本来、寝る時間です。人間の体温は夜には少々低下しますし、ホルモンの量も、昼と夜とでは違いがあります。でも、海外ではマーケットが開いていますから、寝ている間にライバルにやられてしまうかもしれません。結局、夜もおちおち寝ていられない社会になってしまったのです。安眠できない世界など、地獄以外の何ものでもないと私は思うのですけれど。

都市においては、ベッタリと変化のない環境に体は置かれています。このようなリズムのない生活が、私たちの体と本当に相性の良いものでしょうか。そんな環境の中で、体は幸せだと感じられるのでしょうか？

ビジネスとは時間の操作である

現代人は、エネルギーを使って、時間を速めているのだと述べてきました。私たち皆が生活の糧にしているビジネスも、そういうものだと思うのですね。ビジネスとはビジー＋ネス、忙しいこと。忙しいとは時間が速いことです。一所懸命働いてエネルギーを注ぎ込むと、同じ時計の時間の間に、たくさんの製品が作れたり、情報をより多く集められたりする。するとそれが金になる、儲かる。だからこそ「時は金なり」、つまりビジネスとは時間を操作するものなのです。

逆に消費とは、お金を出してエネルギーを買い、それを使って時間を速めているのだと思います。速めれば限られた時計の時間内に多くの楽しみが得られます。また、仕事を速くすませられるから、余暇が生まれてきます。一九四一年のＮＨＫの調査では、サラリーマンの自由時間は一日一時間。それが二〇〇五年には三時間半に増えています。二時間半の自由時間が、エネルギーを使う機械により生み出されました。

このように考えると、時間とは、操作可能な戦略物資の一種だと言えるでしょう。だとすれば、ビジネスにおける戦略の立て方が大きく変わるはずです。時間操作大作戦です。でもふつう、時間を操作可能なものとは考えませんね。そもそも現在の経済学は、ニュートン力学の枠組みを経済現象に持ち込んで考察するものです。経済学での時間は物理的な絶対時間であり、時間が変わるとか、時間は操作可能、というような見方はしません。しかしこれはずいぶんと狭い、かたよった見方だと思いますね。時間が変わるという見方をすれば、いままでとは違った（そしてより役に立つ）経済学が構築できそうな気がしています。

そもそも時間は、生活に深く関わっているものです。人間は時間を生きていると言ってもいいと思うのですね。生活の中で、私たちは「時間」という言葉をいろいろな意味を込めて使っているのであり、さまざまな時間のとらえ方ができるものだと思います。でも、時間は一定不変で、何をしても絶対かわらないんだと、普通、信じて疑いません。

こうなってしまうのも、現代社会のシステムが、西洋、つまりはキリスト教に基礎を置いていることが、大きな原因でしょう。キリスト教では、時間は神のもの。万物共通で、一直線に同じ速度で流れる絶対的なものです。この時間がニュートンを介して古典物理学に入ってきて、科学的自然観の基礎となりました。経済活動の基礎ともなっています。

さらに付け加えれば、このことには生物学的な背景もあるのだと思います。私たちが恒温動物、つまりさっきも言ったように、恒時間動物だからこそ、時間は変わらないと信じ込みやすいのだと私は思うのです。変温動物なら、もっと違った時間の感覚をもっているのかもしれません。蚊がプーンと飛んでいて、冷たい空気の塊に入りこんだら、とたんに時間は遅くなり、そこを出たら時間は再び速まる。こんなふうに時間の速度はふらふらと変わると、彼らは感じているのかもしれません。私たちは、時間が絶対変わらないと考えがちなのですが、こういう時間観をもってしまうこと自体が、人間の体のつくりを反映したものではないでしょうか。

それやこれやで、私たちは、時間はいつも変わらず一定の速度で流れて行くと信じ込んでしまっています。それがいろいろな不都合を生み出しているのだと思うのですね。

時間のギャップが生み出す疲労感

私たち日本人は、膨大な量のエネルギーを使って便利な機械を動かしています。どのくらい膨大かというと、一人あたり年間、原油換算で約四〇〇〇キログラム。すごい量です――などと言っても、どれほどの量かピンときませんね。

そこで、私たちが食物として食べるエネルギー量の何倍なのかで言い直してみましょう。すると食べる量の四〇倍。体が使うエネルギーの、四〇倍ものエネルギーを、私たち一人ひとりが使っているのです。

昔のことを思えば、薪《たきぎ》を燃やしていたくらいですから、体が使う分以外のエネルギーなど微々たるものだったと思われます。だから今の私たちが、縄文人の約四〇倍のエネルギーを使って暮らしていると推測して、それほどの間違いはないでしょう。もし社会生活の時間も生物の時間と同様、エネルギー消費量に比例して速くなるとすると、今や時間が縄文時代より四〇倍も速くなっていることになります。

もちろん、正確に四〇倍かどうかは分かりませんよ。でも大量のエネルギーを使うこのせわしない世の中を見れば、この推測はさほど間違っていないように思えます。

社会の時間は桁違いに速くなったのですが、体の時間はそうではありません。私たちの心臓のリズムは、昔のままで変わっていないと思われます。だって同じ体のサイズのヒツジと比べて、心臓の動きに、ほとんど差はないのですから。

体の時間は昔と何も変わっていないのに、社会生活の時間ばかりが桁違いに速くなっているのが今の社会です。つまり体の時間と社会の時間との間に、極端なギャップが存在しています。現代人には大きなストレスがかかっているとよく言われますが、そのストレスの主な原因は、この極端なギャップにあると私は思っています。

今の世の中、みんな疲れているのですね。元気いっぱいのはずの若者だって疲れている。沖縄のトーマ・ヒロコさんの詩に、学校に行って朝一番の挨拶が「お疲れ」だっていう詩があります。

おはようも
ありがとうも
ごめんなさいも
さようならも
おやすみも
もう要らない
この世を生き抜くためには
挨拶はひとつでいい
「お疲れ」だけで事足りる
（トーマ・ヒロコ「ひとつでいい」より）

みんな疲れているんです。社会の時間に追いつこうとして、疲れ果てている。社会の時間と体の時間との間の、ものすごいギャップを、みなが抱えている。こんなギャップを抱えながら、幸せだと感じて生きていけるものか、私は大いに疑問に思っています。

私は工業大学で教えています。まわりは技術者ばかり。彼らは、より速くより便利にという社会の要請に応えるべく、日々研究しています。でも便利なものを作れば社会の時間は速くなり、体の時間とのギャップもどんどん大きくなっていく。彼らが頑張れば頑張るほど、私たちはますます不幸になっていくのが現実かもしれません。

これは幸せとは何か、という問題ですね。一時代前は楽にどんどん物を作れるのが、幸せへの道でした。でも、物が満ち足りてしまった現在、より便利でより豊富なことが、より幸せにつながるのかどうかは、よくよく考えねばなりません。技術とは本来、人類を幸福にするためのもののはずです。技術の目指すべき方向が、このままで良いのかを、技術者をはじめ、私たち一人ひとりが考えるべき時期に来ていると思います。

時間を環境問題としてとらえる

時間というものは、私たちがその中で生きている環境と言ってもいいものです。環境は、いつも変わらず安定していてこそ、その中で安心して生きていけます。ところが今や時間環境が、どんどん速くなっているのです。ドッグイヤーなんていう言葉もありましたね。

日本国民の半数近くが、社会生活のテンポが速すぎると感じています。ヒトという生きものにとって適切な時間環境があるからこそ、そういう感覚をもつのでしょう。でも、より便利に、より速くと、どんどん時間が加速しているのが現状です。これは時間環境が破壊されているのと言えるのではないでしょうか。

今まで、環境問題というと、温暖化や、化学物質による環境汚染が問題にされてきました。時間が環境問題としてとり上げられることはありません。時間は変わらないというのが常識ですから、時間環境という問題の立て方はあり得ないからです。

ここが盲点なのですね。地球温暖化も資源エネルギーの枯渇も、元はといえば、じゃんじゃん石油を燃やして時間を速めているのが原因です。

時間をもう少しゆっくりにして、社会の時間が体の時間と、それほどかけ離れたものではないようにする。そうやって時間環境問題を解決すれば、自動的に温暖化もエネルギー枯渇の問題も、解決してしまいます。

時間の問題から、エネルギー問題をはじめとする、他の多くの環境問題も派生しているのです。だから時間環境は、環境問題の中で、もっとも重要なものとして取り扱われるべきものなのですね。そして、そういう問題があることにすら気づかせない現代の時間観は、非常に問題の多いものだと思います。

省エネのすすめ

エネルギー問題は、どうしても解決しなければならない大問題です。でも、将来石油がなくなるから省エネしようと呼びかけても、ほとんど効果はありません。オイルショックの時には、それなりに省エネは実行されたのですが、これは石油の値段が上がったから。子孫のために石油を残そうと禁欲したわけではありません。値段が下がれば元の木阿弥です。私だけが良ければいい、たとえ血のつながった子孫であろうとも自分以外のことは考えず、結局将来のことなど考えないのが現代の個人主義というものです。一度手にした便利さを手放す人など、めったにいません。便利なことは幸福なこと、他人のために自らの幸福を手放すことなどありえないのです。「子孫のために省エネしよう！」というキャンペーンが効果をもつとは思えません。

発想を変えてみましょう。個人の幸福を手放させるのは無理なのですから、エネルギーを使えば不幸になると思わせればいいのです。「エネルギーを使えば使うほど、社会と体の時間のギャップは大きくなり、私たちはより不幸になるのだ。だから幸せになりたかったら省エネするしかない！」という言い方ならば、利己的な現代人にも、届きやすいメッセージになると思うのですけれど。

時間をデザインする

とはいえ、縄文人の暮らしに戻れ！　などと言うつもりはまったくありません。文明の利器は、じつに便利ですから、これを使わない手はないのですが、速ければ速いほど良い、という考えに警鐘を鳴らして、文明の利器を賢く使うにはどうすればよいかを考えたいのです。

私は、速い時間とゆっくりの時間とでは、時間の質が違う、そしてその時間の中で経験できることに違いがあり、生きている質そのものにも時間によって違いが生じてくるのだろうと思っています。

ゾウとネズミの話に戻れば、これらでは、エネルギー消費量に一八倍の差があり、だから時間の速さが一八倍も違い、ゾウの時間とネズミの時間とでは質が大きく異なっていると思われます。そして現実に生き方そのものが違っているのですね。

ちなみに私の研究対象であるナマコの時間は、われわれ哺乳類とは、とんでもなくかけ離れているようです。ナマコは超省エネ生活を送っています。ナマコのエネルギー消費量を測ってみたのですが、体重あたりにして、われわれの五〇分の一しか使っていません。だから私が一時間で使うエネルギーをナマコは二日もかけて使っていることになります。ナマコの時間は、私のものとは完全に異質なものなんだと、このほとんど動かずノテーッとしているナマコを眺め続けて、実感しました。

以前、新幹線で事故があって、のろのろとしか列車が動かなかったことがあります。その時の車窓からの景色は、ふだん見慣れたものとは、まったく違って見えたのです。物理的には同じものを見ているはずなのに、列車の速度によって、まったく違う。東海道を足で歩けば、またぜんぜん違ったものに見えることでしょう。時間の速度を変えただけで、同じものが違った様相を呈してくるのです。だから、あえて珍しいものを追い求めてあっちこっちと駆け回らなくてもよいのですね。エネルギーを使ったり使わなかったりして時間の速度を変えれば、同じものでも新たに楽しめる。省エネを手段として、楽しむ世界を広げることができるのです。

現代人は機械を使って時間を操作できるようになりました。ということは、いろいろな質の違う時間を意図的に作り出せるということです。ここはゆっくりの時間にしよう、ここは速い時間にしようというふうに、時間をデザインすることが可能です。エネルギーを介して時間を操作することで、速いだけの世界より、より豊かな世界が経験できるようになると私は思うのです。

ゆっくりの世界には、速い時には決して味わえないものもあるはずです。私は若い頃、瀬底島という沖縄の小さな島で研究していました。沖縄のゆったりした時間は、じつにいいものですね。ある夜、瀬底の浜を歩いていたら、漁師さんが一人、泡盛を飲んでいました。だまって茶碗を差し出してくれます。砂浜にすわって、それをごちそうになる。そして茶碗を返す。何度かそれを繰り返したのですが、漁師さんが、ぽつんとこう言いました。「借金していい船を買えば、儲かるのはわかっている。でも、そんなことをしたら、こうして夜飲む泡盛の味がまずくなる」

私たちはエネルギーをどんどん使い、あれもこれもと次から次へとやる、それがいい、楽しいことだ、と思い込んでいます。でも、じっくり楽しむには、ゆるやかな時間が必要なのではないでしょうか。また、ゆったりボーッとしている時間が間に入るからこそ、その前にやったことを反芻《はんすう》して楽しみをより深く味わい、また次にやることへの期待がふくらんで、実際に行うことが、さらに楽しいものになると思うのですね。

そして、ここが一番大切なことだと思うのですが、じっくりと時間をかけてつきあったものこそが、自分にとってかけがえのない大切なものになっていく——これは私の実感です。機械を使ってお手軽にすばやく済ませたものなど、結局は上っ面をなでただけのこと。あらすじだけ聞いて読んだ気になっている本みたいなものかもしれません。こういうやり方ばかりに慣れ親しんでいれば、真の楽しみも得られないし、自然や他人や、そして人生との付き合い方も、深みのないものになってしまうのではないでしょうか。

子孫も環境も「私」の一部

時間環境という形で、時間を環境問題と結びつけてお話ししました。本章を終えるにあたり、一言付け加えておきましょう。環境問題こそ二一世紀に解決しなければならない大問題なのですが、その割には私たち一人ひとりが、これを身近なものとしてとらえているのかというと、じつにこころもとないのですね。

こうなるのにも西洋近代というものが影響していると私は思っています。明治以来、日本人には確固たる個人という意識がない、個人を確立しなくてはいけない、と言われ続けてきました。おかげで私たちは、個を大切にするようになったのですが、その結果、まわりのことなどさておいて、まず私を最優先する利己主義礼賛の世の中になってしまいました。昔だったら「滅私奉公」や「無私の精神」のスローガンをかかげて、自分は少々不便になっても、環境というおおやけのもののために奉仕しましょうと言えたのですが、今はとてもそうは言えません。省エネと言ったって便利さを犠牲にすることはせずに、新しい技術で解決しようとします。車に乗らないという選択肢はなく、エコカーに乗り換えるのが環境にやさしくすることなのです。自分の便利さを手放すなんてことは考えません。利己主義こそ絶対です。

生物学者としてはここで、今の利己主義の己、つまり私って何なのだ？ ということを、改めて考えてみたいのですね。この体をもった私だけが私なんでしょうか？ 前章で、子供という私を作り、次に孫という私を作りと、私、私、私と渡していくのが生物であり、この個体が滅んでも、次世代という形で、ずっと私が永続するのだと申しました。この個体だけが私というわけではありません。時間的に個体を超えた広がりをもったものが私なのです。

さらに、私というものは、空間的にも個体を超えて広がったものだと思うのですね。生物は環境に適応するように進化してきました。ある環境中には、その環境に適応した生物が棲んでいます。別の環境には別の生物がいます。ある生物が生きている環境は、その生物にとってかけがえのないものであり、その環境がなくなれば、その生物も生存できなくなります。環境と生物とは一体です。

それほど環境が大切なものだとすれば、環境も「私」の一部だと言ってもいいのではないでしょうか。

環境には土地や大気や温度などの物理的なものもありますし、私のパートナーやペットや草花といった生物もあります。日々つきあっているそれらも、私というものを作り上げており、決して、この一個の肉体をもった個体だけで、私ができているわけではないでしょう。パートナーを失うと、自分の半身を失ったような喪失感があると、よく言われます。パートナーが私の一部だからこそ、そう感じるのでしょう。

だから筆者は、自分のパートナーも子供も、そしていつも使っている机も枕もわが家も、わが家の前の道路も、ご近所さんも、角の公園も、そして日本も地球も、「私」の一部だと思っています。もちろん、道路やご近所の皆さんの「私度《わたし》」は下がりますが、でもそれもみな、私をかたち作っているものであり、それを大切にしないということは、自分自身を大切にしないことですよね。

だからこそ安易に環境を変えるわけにはいかないし、環境を汚染するなどもってのほかでしょう。こんなふうに環境問題とは自分自身の問題なのだととらえれば、解決がずいぶん楽になると思います。

子供も孫も私です。そして、今、申しましたように環境も私。今の日本人は、自分のこの体が占めている空間と、この体の一生という時間、それ以外は私ではないととらえています。だからこそ、環境のことも、私の死後のことも、私とは関係ないと、思い込みやすいのです。このへんで私の見方を変えて、もう少し広く私をとらえることが、環境問題の解決には必要だと思っています。

第十章　ヒトの寿命と人間の寿命

ヒトの寿命は四〇歳

私は団塊の世代です。超高齢化と少子化で、年金をはじめ、国の財政がどうなっていくのか、とても心配です。そして、この長くなった人生を、なんとか生き甲斐をもって生きていくには、どうすればよいのかも、切実な問題です。ここではこの大問題を、再び「生物の時間」という視点から考えていきたいと思います。

高齢化社会の直接の原因は、人間の寿命が大幅に延びたことですから、寿命について、まず考えてみることにします。

今や寿命は八〇年。この数字が動物学的にみてどのようなものなのかを、はじめに押さえておきましょう。

前に、心臓が一五億回打つと、ゾウもネズミも、みんな死ぬという話をしました（一七〇ページ）。さて、ではヒトの場合はどうかというと、一五億回打っても四一歳、まだ人生半ばです。

ところが四〇歳で人生半ばというのは、ごく最近のことなんですね。

縄文人の寿命は三一歳。発掘された骨から求めた値です。この時代は幼児の死亡率がものすごく高いので、それは除いて、生殖年齢に達したもの、つまり一五歳より長生きした人の平均をとる。それでも寿命は三一歳なのです。

室町時代でも、寿命は三〇歳代前半。江戸時代で四〇歳代、昭和二二年に至っても、まだ五〇歳。みんながみんな、七〇だ、八〇だという状況になったのは、ごく最近です。

もちろん昔だって長生きした例がなかったわけではありません。でもそれはごく一部の人でした。縄文時代に六〇歳より長生きした人は、百人に一人、室町時代でも一〇人に一人程度だったのです。

ヒトの寿命は、本来四〇歳程度。だって四〇歳代で老いの兆候が表れますよね。老眼になる、髪が薄くなる。閉経が起こる。

自然界では老いた動物は、原則として存在しません。野生生活だったら、ちょっとでも脚力が衰えたり目がかすんだりすれば、たちまち野獣の餌食になってしまいます。また、体力が衰えれば細菌の餌食にもなりやすいものです。

老いた動物は、野生では生き残りにくいのですが、じつは老いた者が生きていると、都合が悪いんですね。老いたとは、生殖活動に参加できなくなったということです。野生においては、食物をはじめとする資源は限られていますから、生殖活動に参加できなくなった者が生き残ると、自分の子供と資源を奪い合うことになります。すると子供の栄養状態が悪くなるから、生まれる孫の数が減る。結局、こんなことをやっている家系は、遠からず絶滅してしまいます。だから生物学的に言えば、生殖活動が終わった者は、すみやかに消え去るのが正しい生き方なのですね。

ただし、年寄りが生きていてもいい場合もないわけではありません。生殖活動に直接参加できなくても、豊富な人生経験をもとに子育てのアドバイスをする。おかげで子や孫の生存率が上がるようなら、老いた世代が生きている意味はあります。これは、われわれ人類に当てはまる話でしょう。

だからと言っていつまでも長生きしていいというものでもないでしょう。昔のように一五歳で結婚する時代なら、三〇ちょっと過ぎで孫の顔が見られますから、子育て法を伝授し終わった頃に、ちょうど閉経。ここで寿命となっても、生物としては何の不都合もありません。子育て法伝授は、おばあさんだけで十分です。ひいばあさんや、ひいひいばあさんが必要とはならないでしょう。

ところが今や日本人の平均寿命は、男が七九歳、女が八六歳です。昔の倍も長生きするようになりました。

寿命が延びた原因は二つあります。一九六〇年代までの寿命の延びは、子供や青年が死ななくなったことによります。結核をはじめ、感染症で死ななくなったことが、大きく効いています。一方、七〇年代以降の延びは老人が死ななくなったことによるものです。いずれにせよ、食べる心配もなく、野獣や病原菌に食われる心配もなくなり、少々体に不具合が生じても、それを治す医療の進歩があったからこそ、みんながこんなに長生きできるようになりました。決して体そのものが丈夫になったわけではありません。

還暦過ぎは人工生命体

この長寿。医療の進歩はもちろんですが、上下水道などの衛生施設、豊かな食生活、冷暖房などなど、技術全般の進歩が長寿を支えているのです。

長い老いの時間は、医療をはじめとする技術が作りだしたものだと言えるでしょう。だから私のような還暦を過ぎた人間は、技術の作り出した「人工生命体」なんですね。人生の前半は生物としての正規の部分、後半は人工生命体という、二部構成でできているのが、今の人生なのでしょう。この二つの部分は大いに異なるものだと、きっちり覚悟して生きていくべきものだと私は思います。

閉経以降の生、つまり人工生命体としての部分は、生物学的に見れば、存在すべき根拠のないものです。そして歴史的にも存在しなかった部分です。

この部分は、品質保証期間が切れた部分なのですね。生物は進化の過程で自然淘汰を受けてきました。淘汰を受けて生き残っているということは、ちゃんと働けると、自然が品質保証してくれていることを意味します。人生の前半は品質保証のある期間。でも老いの期間は、そもそも昔はなかったものですから、自然淘汰を受けてこなかった部分、つまり保証期間が切れた部分です。私たちのこの体は、もともとそんなに長生きすることなど、想定されずにつくられているのですから、保証期間を過ぎれば、ガタがきて当然でしょう。そういうガタがきた体を、だましだまし使っていくのが老後というものです。

図4

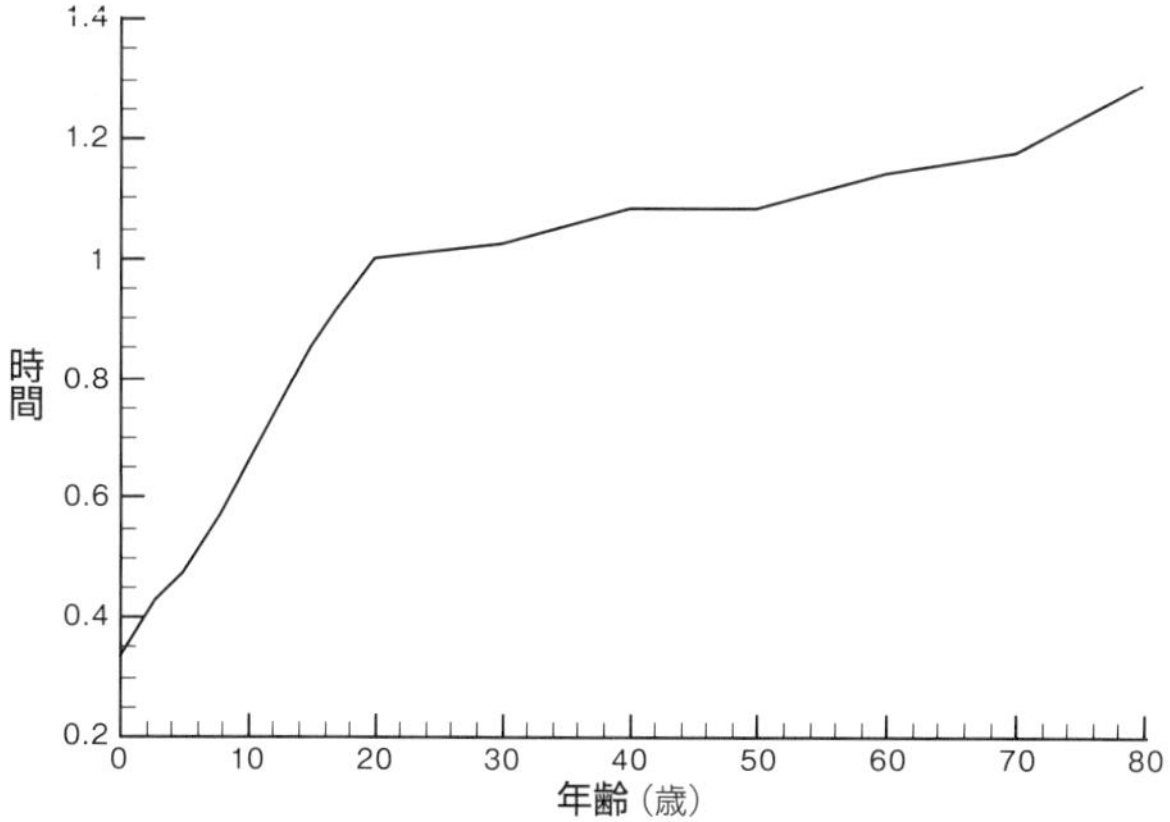

年齢とともに時間がゆっくりになる割合を、20歳を基準にして表した図。時間の進む速度が、体重あたりのエネルギー消費量に比例すると仮定して計算したもの。

老人の時間は早くたつ

老いの期間が若いときとは違うのは、ガタがくるということだけではありません。時間だって違います。

動物においては、時間の速度と、体重あたりのエネルギー消費量とが比例していましたね。これを、われわれヒトという動物に当てはめてみましょう。体重あたりのエネルギー消費量は、赤ん坊は非常に大きく、成長するに従って、二〇歳まで急速に減っていき、二〇歳を過ぎてからは、ゆるやかに減り続けていきます。これは、子供の時間は速く、老人の時間はゆっくりだということを意味するでしょう（図4）。老人のエネルギー消費量は、子供の二・五分の一ですから、老人の時間は子供の時間の二・五倍ゆっくりだということになります。

まてよ、と思われるかもしれませんね。年をとってきたら、一日も一年も、早くたつ。時間が速くなるんじゃないの、とおっしゃりたいでしょう。その通りです。私もこの年になると、時間が早くたつのが実感できます。

なぜ実感は逆になるのかを説明しましょう。孫と一緒に一と月夏休みを過ごしたとします。同じ一と月でも、その間に子供は二・五倍もエネルギーを使っていっぱいいろいろなことをやるのですから、あとから振り返ってみると、できごとがぎっしり詰まっていて、夏休みは長かったと感じるでしょう。それに対して、老人はあまりエネルギーを使わずに、少しのことしか行いませんので、振り返ればスカーンと時は経ち、休みは短かったと感じるでしょう。——つまり、時間は、その中に入っているときと、あとから振り返るときとでは、感覚が逆になるのではないかと私は思っています。

つまらない話を聞いているときは、まだ終わらないかと、長く感じますが、終わって振り返ると、何も覚えていないので、長さすらない。それに対して、夢中で何かをやっていると、時のたつのを忘れますが、あとで振り返れば、充実して長かったと感じるものです。

子供の時間はエネルギーをたくさん使って素早く流れます。老人の時間はエネルギーをあまり使わずにゆったりと流れます。そして、小さいネズミはエネルギーをたくさん使って、時間は速く進み、大きなゾウは、エネルギーをわずかしか使わず、時間がゆっくりと進んでいましたね。つまり子供の時間はネズミ的、老人の時間はゾウ的なんです。ゾウ的・ネズミ的と言えば、睡眠時間もそうです。ゾウは三〜四時間しか眠りません。ネズミは一三時間も眠ります。エネルギーを使うものほどたくさん眠るのです。

年を取ると朝早く目が覚めます。一方、生まれたばかりの赤ん坊は一六時間も眠ります。ここでも、老人はゾウ的、子供はネズミ的です。

なぜ老人は睡眠時間が少ないのでしょう？　これは、なぜ眠るのかを考える必要がありますが、それにはいろいろな説があって、まだよく分かっていません。

最も分かりやすい説は、疲れをとるために眠るというものです。この説にしたがえば、ネズミのようにエネルギーをたくさん使っていろいろやるものほど疲れるでしょうから、たくさん眠ることになります。ここでの「疲れ」は広い意味に使っています。活発に働けば壊れる部分も出てきますから、それを直すのも「疲れをとる」ことに入るでしょう。

たとえば細胞がエネルギーをさかんに使うと、活性酸素のような有害物質が発生し、細胞が傷ついてしまいます。それを治したり、有害物質を無害なものに変えたりするのも、疲れをとる作業とみなせるでしょう。

昼間に得た情報を、眠っている間に処理するのだという説もあります。小さい動物はエネルギーをたくさん使い、より活発に働くのですから、短い時間にたくさんの情報が入ってくるでしょう。それを脳内で処理するためには長い睡眠時間をとる必要があります。

いずれの説でも、エネルギーを少ししか使わないもの、つまりあまり働いていないものは、眠らなくてもやっていけそうです。まあ、起きていても寝ていても大差ないということかもしれませんね。

こんなふうに、若いときと年取ってからとでは、時間までもが変わります。時間が変われば、その時間の中でどう生きるべきかという目的も価値観も変わるべきでしょう。若いときの生き方や価値観をそのまま引きずっていることは、賢いことではないと思います。

「死なば多くの実を結ぶべし」

生物の時間はエネルギー消費量で変わるのですが、生物はエネルギー消費量をみずから変えることにより、積極的に時間を操作しているのだと私は考えています。ヤマネ（山鼠）は冬眠します。同じサイズの冬眠しないものと比べると、ヤマネはずっと長生きですが、冬眠中にはエネルギーをわずかしか使わないので時間がゆっくりになり、その分、寿命も延びるのでしょう。

だから長生きしたけりゃずっと冬眠してればいい、とはならないでしょう。冬眠するのは、時間を止めて、冬という暮らしにくい季節を、やり過ごすためです。長生きしたいからではありません。

植物だってそうです。種《たね》は、何年でもとっておけますね。種はほとんどエネルギーを使っていません。植物は種という形で時間を止めているのです。そして良い環境になったら、芽吹《めぶ》いて生長し、花を咲かせます。六〇年ほど前になりますが、大賀一郎先生が、二〇〇〇年以上前の遺跡からハスの種を掘り出して、それを出芽させるのに成功しました。今、いろいろなところで、このハスの子孫が花を咲かせています。種は二〇〇〇年もの間、時間を止めていたのです。

ですから、長生きしたかったら種のままでいればいいわけですが、それでは生物として、生きた意味がないでしょう。「一粒の麦もし地に落ちて死なずば、ただ一つにてあらん、死なば多くの実を結ぶべし」。これは聖書の言葉ですが、一粒の麦は死ななかったら、それだけでおしまいです。自分の蓄えたエネルギーを注ぎ込んで生長して花を咲かせて、次世代をたくさん作る。わが身をすりへらして子孫をつくっていくところに、生物として意味のある時間が流れるのです。

だからといって、種の時間が、まったくの無意味というわけではありません。植物は、待つ時間、生長する時間、花開く時間と、さまざまな質の違う時間を、一生の中で作り出しています。結局、時間を操作して生きているのだと思います。

昆虫は、卵、幼虫、蛹《さなぎ》、成虫と、変態しながら大きくなります。たとえば卵で越冬する。幼虫の時代はあまり動きまわらずに、ひたすら食って大きくなる。蛹ではじっと動かず体を作りかえ、親になったら羽をはやし、エネルギーをどんどん使って異性を求めて飛びまわり、子供を作る。それぞれの時期でエネルギー消費量が大きく違いますから、時期ごとに違う時間が流れているのでしょう。

生物においては、エネルギーを使うと時間が流れます。使わなければ止まる。だから一歩踏み込んだ言い方をすれば、「生物はエネルギーを使って時間を生み出している」のではないでしょうか。エネルギーをたくさん注ぎ込めば速い時間をつくり出せる、エネルギーを少なくすればゆるやかな時間が生まれる。

イメージとしてはこうです。生物はおのおの、時間のベルトコンベアを、エネルギーを使って自分で回している。ネズミはエネルギーをたくさん使ってベルトを速く回す、ゾウはゆっくりと回す。冬眠中はほとんど回さない。生命の時間とは、かようにアクティブなものだと思うのですね。

これに対して物理学の時間は、万物が同じベルトコンベアに載せられて運ばれて行くイメージです。われわれは時間に対して何もできません。いわば時間の奴隷。唯一できるのは、時間のベルトにどれだけ乗っていられるかだけ。だからこそ、今の私たちのように、どんな状況であれ、できるだけ長く乗っている方がいいという価値判断しかできなくなってしまうのでしょう。

この万物共通の時間にただただ流されていくしかないという感覚が、じつに重たく私たちにのしかかっているような気がするのですね。生きる上での重荷です。私は、時間も操作できるんだ、そして必ずしも長生きだけがいいわけじゃないんだと気づいた時、なんか肩の荷が軽くなった気がしました。

時間への欲望

「生物はエネルギーを使って時間を生み出している」のですが、それは現代人もそうなのですね。私たちの長い老後は、医療をはじめとする技術が生み出したものであり、技術は、ものすごいエネルギーを使っています。だから、われわれも、エネルギーを使って時間を生み出していると言えると思うのです。

第九章で、消費とは、お金でエネルギーを買って、そのエネルギーを使って時間を生み出しているのだと申しました（一八九ページ）。

生み出し方には二つあります。一つはエネルギーを使って機械を動かして時間を速め、早く終わって浮いた時間で余暇を手に入れたり、他のことをするやり方。もう一つは医療にエネルギーを投入し、寿命という時間を延ばすこと。私たち現代人は、より速く、より長生きにと、時間の欲望を満たすことに莫大なエネルギーを使っています。

その結果、温暖化が起こり、資源も枯渇する。これらの問題は次世代に重くのしかかっています。そして、老いの時間を生み出すのには、多大な医療費と介護の費用がかかり、これも赤字国債として次世代の大きな負担になっていきます。時間への欲望を、これ以上野放しにはできなくなったのが現状でしょう。

老いの生き方

この事態をふまえて、われわれ団塊の世代が、この長い老いをどう生きていったらいいのかを考えることにしましょう。

ここまでの、生物学としての話の流れからすれば、定年後は姨捨山《うばすてやま》に行くしかないのですが、私も、そうそう死にとうはないんですね。

かと言って、次世代に全部つけをまわして、のうのうと生きていくほど、神経が図太くもありません。うしろめたさを、なんとか少なくして、老いを生きていきたいのです。

老いの命は技術が生み出した人工生命体だと申しましたが、だからそんなものは不自然だ、悪い、と言うつもりはありません。技術で寿命を延ばせる生物など、他にいません。この人工生命体は技術のたまもの、人類の英知の結晶、誇りに思うべきものです。

英知が服を着ているのが、われわれ老人です。

だとすれば、やはり英知の結晶にふさわしい生き方をしたいと思うのですね。ではどうすればいいのでしょうか？

簡単に答えなど出せない問題です。人類何百万年もの間、人生は三〇年から、せいぜい五〇年。人類が蓄積してきた生きる上での英知とは、そういう寿命を大前提にしたものです。大宗教の教祖様方も、そういう時代に道を説かれていたのです。

ところが、たかだか戦後六〇年の間に、人生が一・六倍にも延びました。おまけに、その延びた部分というのは、体がどんどんガタガタになって行く部分です。それをどう生きるかの知恵など、蓄積はまったくありません。どう生きるかも教えずに、ただ寿命だけを延ばしてくれた医療に対して、「製造者責任ってものがあるんじゃないの」と、ちょっと恨みごとを言いたくもなります。

まあ、恨んでばかりいずに前向きに考えなければいけないのですが、私のような生物学者が片手間に考えても名案が出るわけはありません。ですからここでは、単純に生物学的に考えたことを申し上げることにします。

広い意味での生殖活動

生物は、子供を産んでなんぼ、というものです。子供を産んで、ずっと子孫が続いていく。そのようにできているのが生物です。体も行動も、そうできるようになっています。生物にとって、生殖活動が、きわめて大きな意味をもつのです。

ですから、老後においても、私は生殖活動に意味をみつけようと思います。とはいえ、なまなましい生殖活動ができなくなるのが老いというものです。そこで、直接的な生殖活動ができなくても、次世代のために働くこと――これを広い意味での生殖活動と考え、これに老後の意味をみつけたいのです。

具体的に言いましょう。われわれ老人は子育てを支援し、若者が子供を作りたくなる環境を整備する。身体も脳も日々よく使い、自立した生活をして老化を遅らせ、必要になったら互いに介護につとめ、医療費・介護費を少なくし、そうすることにより、できるだけ次世代の足を引っ張らないようにする。

年金があるのだから、利益を抜きにして世のために働く。儲からないから誰もやらないが、本当は大切な仕事がたくさんあるはずです。もちろん、ある年齢になれば、もう働けなくなるでしょう。でもこのようにして、老いの期間の一時期であれ、次世代のために働き、そして志としては、次世代の足を引っ張らないという姿勢をずっと持ち続けていれば、うしろめたさの少ない老後を過ごせるのではないかと思うのです。

あ、ここで一言付け加えておきますとね、男性諸君の中には「俺はまだまだ枯れてないぞ！」と胸をはる方もおられるでしょうが、子供を産める相手に選んでもらえなければ無意味なんですからね。ですから、以上のことは、男性女性を問わず、ほぼ全員に当てはまる話です。

とはいえこんな理想論、気楽な引退生活はできないし、ぜんぜん楽しくもなさそうだし、さっぱりアピールしないでしょう。でも、こんな生活にも結構な実益があるんだよと、言いたいのです。

利己的遺伝子の支配から逃れる

繰り返しますが、定年後はそれまでとは時間が異なることを、はっきりと認識しておく必要があります。若い時とは違い、身体の時間も違い、その上、社会の時間も違ってきます。なにせビジネスから退くのですから、ビジネスの時間に縛られる必要はなくなります。

これは大きいですね。ビジネスとはエネルギーを注ぎ込んで時間を速くして、金を儲けることです。現代社会の時間が異常に速いのは、ビジネスの時間が基調となっているからです。ビジネスでは、もたもたしていれば負けてしまいます。

ビジネス＝ビジー＋ネス。忙しいこと。忙しいという字は、りっしんべんに亡びる、つまりは心が亡びると書きますね。心を亡ぼしてでも金を稼がなければいけないのが若い時です。でも定年後は、そんな忙しい時間に付き合う必要がなくなるのです。人間らしい時間速度に戻れるのは定年後。この特典を利用しない手はないでしょう。

今の世は万事お金であり、金を稼ぐために忙しくビジネスにいそしんでいます。なんでそうするのかに生物学的に答えれば、利己的遺伝子がそうさせているのです。

うまい物を食い精力をつけ、格好をつけて良い子を産みそうな相手を惚れさせ、いい家に住んで安全に子を育てながら良い学校にいかせて自分の子孫の繁栄を図る。これらすべては、利己的遺伝子の欲求です。利己的遺伝子の指令を受けて、われわれはせっせとお金を稼がされているのです。

生殖活動を卒業したとは、このような利己的遺伝子の支配から解放されたことを意味します。だから定年後にまで利己的な価値観や、それから出てくる経済至上主義に縛られることはないでしょう。

老後も、ある程度のお金が必要なのは確かですが、現役時代よりは少なくて済ませられるでしょう。便利な機械を買い、便利な場所に住もうとするから大いに金がかかるのです。ビジネスをしなければ、それほど便利である必要も急ぐ必要もありません。

あまり便利な機械を買い込まない方が、身のためだと思うのですね。理由の一つは、身体にみあった時間で生きられるのが定年後なのですから、そういうスローライフを楽しむためには、時間を加速するような機械ばかりを、身の回りにおかない方がいい。

もう一つの理由。機械を使わないと、身体や頭を、より多く使うようになります。とくに身体。われわれの身体の半分は筋肉でできています。便利な機械とは、なるべく身体を使わないようにするものですが、機械に頼っていれば、筋肉は働けない。つまり、身体の半分を占めている筋肉が欲求不満になっているのが、機械づけの生活だと言えるのではないかと思います。身体の半分が不満なら、幸せに生きていけるはずがない。

身体を使って生きていく方が、足腰も弱らず脳も弱りにくいという利点があるしメタボも回避できるのですから、定年後は新式の機械など買わないぞ！　とうそぶく、そんな心意気でいたいものですね。

利己的な遺伝子、そしてそれから派生したゴリゴリの利己主義から自由になり、空間的にも時間的にも広く社会を見通して、人々が、つまりは次世代が住みよい社会をつくるために、ゆっくりと身体のペースで働きながらつましい生活を楽しむ。これをめざしたいと思います。

「一身にして二生を経る」

ここで述べたようなスローライフや清貧の思想や無私の精神は、現役世代にとって絵空事に過ぎないでしょう。でも定年後は、これらを現実のものとして受け止める物理的条件が整っているのです。身体の時間がスローになり、いやでも経済的に貧しくなり、もう生殖活動もできないし、行き先も短くて、心がなんとなく落ち着かない。だからこそ、さばさばとそれまでの価値観に別れを告げ、定年後は違った価値観をもった方が良い。

現代日本人は自分が死んだ後のことなど、それほど気に掛けません。だから環境問題も資源の枯渇も、少子化も、赤字国債の山も、あまり気にならないのですね。それらは次世代の話であり、私には関係がない、私が死んだあとのことなど知らない、という態度をとりがちです。そもそも少子化とは、次世代を作ることに、それほど価値をおかないからこそ、そうなってしまうのでしょう。

でも、次世代があるからこそ、私の思いは未来につながるのです。未来とつながっているからこそ、今の時が意味をもつのではないでしょうか。

生物学的に言えば、子供は私であり、孫も私であり、私、私、私と、私を伝えていくのが生物というものです。だから私の範囲をとらえ直し、未来の私までも勘定に入れた利己主義者になりませんかと、若者には勧めたいですね。

そしてわれわれ団塊の世代には、老いの時間とは、利己的遺伝子から自由になった時間なんだから、利己主義そのものを卒業しませんかと勧めたいのです。団塊の世代がこぞって利己主義を卒業すれば、社会は相当変わるでしょう。お年寄りがいてくれて有り難いなあと、みんなに感謝され、自分にとっても意味のある老いの時間を過ごしたいものだと願っています。

なんとなくお説教じみてしまいました。私は、老後は、おまけだと思っています。昔はなかったのに、おまけがついた。「一身にして二生を経る」とは福澤諭吉の言葉ですが、われわれは二つの違った生を楽しめるようになったのです。これはじつに目出度い。「一粒で二度おいしい」おまけの人生を楽しみたいなと思っています。

第十一章　ナマコの教訓

脳みそか素粒子か

私が専門としておりますナマコの話で本書を閉じることにします。

その前に、そもそもなんで私が生物学をやろうと思ったかから、始めさせて下さい。

私は団塊の世代です。子供の頃は焼け跡がまだありました。それからまわりみんなが一所懸命働いて、どんどん豊かになっていき、高校一年の時、東京オリンピックです。それでもさらに物を作って豊かになろう、もうけようと、私たちの世代は、理科系なら工学部、文化系なら法学・経済・商学部へと進学しました。

高校二年、進学先を決めなきゃいけない時に、考えちゃったんですね。これ以上豊かになる必要があるんだろうか？　僕一人ぐらい、金儲けと関係ない、何の役にも立たない学問をやっても許されるのじゃないか……。

そうなると学部は理学部か文学部の選択になります。文学部は人間の頭や心の中ばかりのぞき込んでいる気がしました。脳みそ中心主義ですね。これじゃあ人間以外のことは分からないんじゃないか。

そこで理学部。ただし理学部には物理も化学も生物もあります。物理や化学は、世界を素粒子など究極の粒子に分けていけば、それですべてが分かる、つまり要素還元主義の立場です。でも素粒子ですべてが分かるんだろうか？　それでは世界を見渡すには視野が狭すぎる気がしたのですね。私としては、全世界がある程度視野に入って、そしてその中での、私というものの占める位置が見えてくる、そんな研究をやりたかったのです。そこで脳みそ中心主義と、素粒子主義の真ん中をとって、動物学あたりから全世界を見渡してみよう――というわけで、生物学科動物学教室に進学しました。

大学院では貝の研究、その後はナマコをはじめとした棘皮《きょくひ》動物、それにサンゴやホヤも少々研究対象にしてきました。これらはどれも皆、あまり動かず、神経の発達していないものたちです。つまり脳みそ中心主義にならない動物ばかり選んできました。

サイズの生物学も、少しだけ研究しました。サイズの問題とは、まったく同じ要素でできていても、要素がたくさん集まったものと、少しだけのものとでは、思いもかけないことがいろいろ違ってくるという話です。時間だって変わる。単純に要素の足し算ですべてが決まるようなものではない、つまりは要素還元主義だけでは、世の中割り切れないというのがサイズの生物学です。

要するに、理科系の主流である要素還元主義でもなく、文化系の主流である脳みそ中心主義でもなく、まったくの非主流の立場から、私は研究を行ってきました。こういう立場から眺めたら世の中がどう見えるのか。これが、本書の狙いだったのです。

アンチ脳みそ中心主義

そこで、アンチ脳みそ中心主義、つまりナマコという脳をもたない動物の話をいたします。

ナマコ。冬に酒の肴《さかな》にしますね。あれはマナマコという種類です。ぶつ切りにして、三杯酢で食べる。コリコリして、なかなか乙《おつ》なものです。

日本ではナマコを生で食べます。生で食べるからナマコ。ナマコの「コ」とは芋虫状の動物を指す言葉です（家で飼う「コ」がカイコ）。

世界でナマコを食べるのは、日本人と中国人ぐらいです。中華料理の場合は、いったんゆでて干したものを使います。干しナマコにすれば、どのナマコも食べられるようになりますが、生で食べられるのは、マナマコ以外、ほとんどいません。

中国人のナマコ好きは、日本人以上でして、今や中国は豊かになりましたから、世界中からどんどんナマコを買い漁っています。養殖法もさかんに研究しています。

私はナマコの研究をしていますが、養殖法の研究ではありません。「じゃあ、ナマコの何をやっているの？　ナマコを研究すると、何かいいことがあるの？」と聞かれるのですが、お役に立つような研究をやっているわけではないんです。

もちろん、役に立たなくても研究するという場合もあるのですが、可愛い動物とか、見ていて面白い動物が対象になりやすいんですね。昆虫も魚も哺乳類も、きれいだし、可愛いし、目の前でいろいろと面白い行動をとります。だから研究者がそれなりにいます。

ナマコは可愛くありません。巨大な芋虫形です。芋虫っていうのは、あんまり感じよくないですよね。それに人間は、目が大きいと、なんとなく可愛いと感じてしまうものですが、じつはナマコは目をもっていないんです。目だけじゃない、耳も鼻も、そして脳もない。目・耳・鼻・脳が集まっている場所が頭ですが、頭と呼べるものがない、のっぺらぼうの芋虫ですよ。これはやっぱりグロテスク。

ナマコを研究していると言いますと、決まって「初めてナマコを食べた人は、勇気ありますね」という反応が返ってきます。それほどグロテスクなんですね。

それにナマコは、見ていても、さっぱり動かないんです。いくら見ていても、面白い芸など、何もしてくれません。これでは研究しようという人間も出てきにくいわけです。

ナマコを専門に研究している人間は、世界中でも一〇人ほどでしょうか。

瀬底島での不思議な出会い

私が本格的にナマコの研究をしようと思ったのは、沖縄。三〇歳の時、縁あって、沖縄の大学に職を得た時です。大学は今、首里城が再建されている場所にあったのですが、私が実際に動物を使って実験していたのは、瀬底島という、沖縄本島北部に隣接する小さな島にある臨海実験所です。

首里から沖縄本島を北上すること車で二時間。海洋博公園のすぐ向かいに瀬底島があります。今は橋が架かっていますが、当時は、ダンプ一台やっとのるほどの小さなフェリーで渡ります。その瀬底島に、琉球大学の臨海実験所がありました。臨海実験所とは海の生物を研究するための施設で、たいてい、島や半島の先端という、まわりに海しかない人里離れた場所に建っています。

最初に瀬底臨海実験所前の海岸に立った時、ちょうど潮が引いていたんです。足下を見て、驚きましたね。波打ち際にナマコがごろごろ転がっているんです。近づいても逃げない。触っても、じわーっと身を縮めるだけ。あばれたり、まったくしません。へんなんですね。ふつう、動物は近づいていけば逃げます。逃げ足の遅いものは、はじめから隠れているか、そうでなければ、サンゴや貝のように、硬い殻で身を守っています。そうしなければ食われてしまいます。

でも、ナマコは硬い殻で身を守っているわけでもないし、隠れてもいない。ただのてーっとしていて逃げない。だから食われてしまうかというと、こんなにたくさんいるのですから、食われてはいないのですね。

これはおかしい。ナマコには、何か秘密があるに違いない。

ナマコはウニやヒトデの仲間、つまり棘皮《きょくひ》動物の仲間です。私が大学院で学んだ研究室は、棘皮動物の研究では伝統がありました。私も少々この仲間を手がけておりましたから、こんなにナマコがいるのなら研究しなくっちゃ！　と、さっそくやり始めたんです。

砂を噛む人生

研究させていただくなら、そもそもナマコがどんな風に暮らしているのか、海の中でまるまる一日二四時間、夜も水中ライトをつけてナマコを観察させていただきました。こういう形でナマコに仁義を切ろう、御挨拶しようと思ったんですね。

対象として選んだのはシカクナマコ。体長が一五センチくらいの、黒くて、体がちょっと角張って四角っぽいナマコです。岸近くにたくさんいます。

水に浮きながらシカクナマコをじーっと見ていたんですが、さっぱり動かないんですね。よく見ると、ごくゆっくりとは動いているのですが、朝から夕方までかかって、一〇メートル動くかどうか。そして日没になると、ナマコは近くのサンゴの下に隠れてしまいます。ずっとそのまま隠れていて、朝日が昇ってしばらくたつと、また出てきます。

ナマコは何を食べているか、ご存知ですか？　砂です。シカクナマコがそうですし、食用にしているマナマコもそうです。ナマコの先端の下側（つまり地面に向いている方向）に口があり、口のまわりをぐるりと取り巻いて触手が生えています（シカクナマコだと二〇本）。触手の一本一本は伸び縮みする管です。管の先端がふくれてカリフラワーみたいになっていて、これを砂に押しつけて砂をくっつけ、それを口に運んで食べます。

砂を食べているんですね。砂は石の粒ですから、もちろん栄養にはなりません。砂といっしょに飲み込んだ海藻の切れっぱしや有機物の粒子などを食べています。それから砂の表面に生えているバクテリアも栄養になります。砂はそのまま排泄します。だからナマコの後ろには、ウインナ・ソーセージみたいにつながった砂の糞が見られます。

いくら有機物の粒子が混じっているからといって、やはり砂は砂です。栄養など、それほどありません。そんなものを食べて生きていけるなんて、ナマコはいったいどんな生活をしているのでしょう？　貧しい食事にあまんじて、栄養失調で子供もあまりつくれずにほそぼそと暮らしているのでしょうか？

そうではないんですね。現実にはナマコがうじゃうじゃいます。子宝に恵まれて繁栄しているのです。味気ない「砂を嚙むような」人生を送っているわけではなさそうです。これは不思議、謎です。謎は解かねばなりません。

もう一つの謎。ナマコは砂の上にコロンと転がっています。隠れてなんかいません。

われわれが近づいても逃げません。逃げも隠れもしていないで、どうやって魚などの捕食者に食われずに済んでいるのでしょうか？

ナマコの皮は硬さを変える

後の疑問に答えるには、ナマコと遊んでみればいいんですね。シカクナマコを手にとってみましょう。つかむと、体がゴリッと硬くなるのが、手ざわりで分かります。ぎゅっと握りしめると、握られた状態で硬くなりますから、手を開くと、私の指の形がついたぼこぼこのまま、ナマコは硬くなっています。こうしてナマコは、皮を硬くして身を守っています。

硬さの変わるのは皮の部分です。この皮、相当分厚いんです。ナマコを輪切りにしてみると、竹輪みたいな感じで、真ん中に穴があいています。竹輪の身の部分、ここがナマコの体壁。この体壁の厚みのほとんどが皮です。筋肉は、体壁の一番内側、つまり竹輪の穴に面したところに、ちょっとだけあります。

竹輪の穴の部分には、液体がつまっていて、そこに腸などの内臓が浮いています。われわれが食べる部分はナマコの体壁です。皮の部分を食べているんですね。ナマコは酢でしめて食べますが、酢でしめると皮は硬くなります。だからコリコリするのです。ナマコをつかむと硬くなります。ところが、さらに強く揉み続けると、突然、ナマコがやわらかくなりはじめ、しまいには、ドロドロに溶けてしまいます。

ナマコをいじっていたら、突如、溶けたんですから、びっくりしましたね。なんなんだこれは⁉

もっとびっくりしたのは、これで死んだのではなかったことです。溶けたナマコは形などなくなりますが、これを、そーっと水槽の中で飼っておくと、だんだんナマコの形になってきて、二～三週間もすると、ちゃんと元通りに「生き返った」のです。いやあびっくりしました。

硬さ変化の意味

ゴリッと硬くなったり、どろどろに溶けるくらい軟らかくなったり、ナマコの皮は硬さが自在に変わるのです。

皮が硬くなることの役目は明らかですね。敵に攻撃された時、体を硬くして身を守ります。

体が硬ければ安心なのですが、だからと言って、硬くなりっぱなしならいいのかと言うと、そうではありません。ご自分のことを考えてみれば分かることですが、体が硬かったら、うまく運動できません。しなやかに体が曲がるからこそ、跳んだりはねたり、穴をくぐり抜けたりと、場面場面に応じていろいろな運動をスムーズに行えるのです。

シカクナマコは日没後は、岩の間に入って隠れてしまいます。また、海が荒れた日には、昼間でも岩の間に隠れています。岩の間に入る時には、よくもこんな所を通れるものだとびっくりするほどの狭い入口を、体を細く大変形させながら通り抜けます。体が硬いままなら、とてもできないことです。ナマコは入口を過ぎたら中でまた、体の形も硬さも元に戻せば、もう入口は引っかかって通り抜けられませんから、どんなに外で嵐が吹き荒れようとも、岩の間から洗い出されて、流されてしまう心配はありません。

ゴリゴリもみ続けたり、ギュッとつまむような、非常に強い機械的な刺激を与えると、ナマコの皮はものすごくやわらかくなって溶けるのですが、これには意味があります。岩の間に隠れているナマコを、魚がみつけて、口をつっこみ噛みついたとしましょう。魚の力が強ければ、いくら体を硬くしていても、岩からむりやりに引きずり出されるおそれがあります。でも、噛みつかれた部分が溶けてしまえば、魚は引っ張ろうにもとっかかりがなくなり、あきらめるしかありません。

ナマコが皮を溶かすのには、別な使い方もあります。ナマコは魚に噛みつかれると、そこの部分の皮を溶かして穴をあけ、そこから腸を吐き出します。ナマコの腸はコノワタの原料であり、うまいものですから、魚は喜んでそれを食べますが、食べている間に、ご本尊のナマコは逃げていくのです。一と月もすると、腸はまた再生します。

フクロナマコの仲間は、またちょっと違ったやり方をします。このナマコは砂の中にすっぽりと体を埋めており、口のまわりに生えている触手を砂の外に伸ばして、潮の流れにのってくる小さな有機物の粒子を捕まえて食べています。このナマコを襲う魚がいます。魚に触手を噛みつかれると、ナマコは口のちょうど下、首にあたる部分の皮をものすごくやわらかくして、触手と首と、それに腸までつけて、体から切り放して吐き出してしまいます。魚がそれを食べている間に、ナマコのご本尊の方は（ご本尊といっても、皮しか残っていませんが）身を縮めて砂の奥深くに隠れてしまいます。

首の部分には、ナマコの体内では一番まとまった神経系があるのですが、あやうくなると、この首を相手にさしだす。そしてまた首が生えて来る。腸も触手も再生します。

このようにナマコは、皮を硬くして身を守ったり、それでも守りきれないような場合には、逆に皮をやわらかくして体の一部を切り放し、それを敵に献上して生きのびます。硬軟両刀を使って身を守る。だからこそ、のそのそしていても、生きのびていけるのです。

じつはナマコは、皮の硬さだけで身を守っているのではありません。毒も備えています。ホロスリンという物質を体内にもっていて、これは魚に対して、強い毒として働きます。バイカナマコのような毒の強いナマコを水槽に入れると、魚が死んでしまいます。海岸で潮が引くと海水のたまったプールみたいな潮だまりができますが、その中で、ナマコをごしごし岩でこすってやると、中にいる魚が半死半生になって浮き上がってくる。それを捕まえるという漁法が、南太平洋の島にはあるそうです。

この毒はナマコならみんなもっていますから、ナマコを食う魚はあまりいません。でも、生物の世界には、必ず例外が出てきます。タラやサメなど、ナマコを食うものも、それなりにいるんですね。だからこそ、毒だけではダメで、硬さの変わる皮も必要なのです。

魚以外にもナマコを食うものがいます。カニやヤドカリがナマコを食いますし、ヒトデも小さなナマコを丸飲みします。ナマコの毒は魚以外にはあまり効かないのです。ちなみに、この毒はわれわれの腸からはほとんど吸収されないようで、ナマコを食べても問題はありません。

ナマコを丸飲みにして食べてしまう、すさまじい貝がいます。ウズラガイです。これは大形の巻貝で、昼間は砂に潜って隠れていますが、夜、出てきて這いまわり、たまたまシカクナマコにぶつかると、丸飲みにします。もちろんシカクナマコも、むざむざやられはしません。ウズラガイにさわられると、その部分の皮をバリッと剝《は》ぎ落とす。そう皮を貝が食べている間にナマコは逃げていきます。どうやって皮を剝ぎ落とすかというと、皮の外側を硬く、内側をすごくやわらかくして、体をぎゅっと縮めれば、外側のと、皮が剝げ落ちるんです。剝げたあとは、一週間くらいで再生します。ナマコの再生力は強力です。

皮は省エネ

ナマコは硬さの変わる皮をもっています。このような皮を、私は「キャッチ結合組織」と名付けました。結合組織とは、皮や腱や軟骨をつくっている組織のことです。

キャッチ結合組織は、ナマコやウニやヒトデ、つまり棘皮動物の仲間だけがもっているすぐれものです。ナマコが逃げも隠れもせずに、そして砂を食べても生きて行けるのも、キャッチ結合組織のおかげなのだということを、私は三〇年かけて明らかにしてきました。

キャッチ結合組織は、カチッと硬くなって、防衛や姿勢維持に働いています。ウニの棘がずっと立っているのも、棘の根元にあるキャッチ結合組織が硬くなって棘の姿勢を保っているからです。キャッチ結合組織で姿勢を保つと、とてもいいことがあります。エネルギー消費量が極端に少なくて済むのです。

体の姿勢を保つのに、われわれは筋肉を使いますね。腕を上げるとしましょう。上げている間じゅう、腕の筋肉は縮みっぱなしです。筋肉が収縮すればエネルギーがどんどん消費され疲れて、そう長くは手を上げてはいられません。では仮に、手を上げて、そこで腕の皮がバリッと硬くなるとしたらどうでしょう？　皮がつっぱるから、筋肉をゆるめても手は上がったまま。上げた姿勢がずっと維持されます。そして手を下ろしたくなったら、皮をまたやわらかくすればいい。――じつは、ナマコやウニは、こんなふうにして姿勢を保っているのです。

硬さの変わる皮を使うと、筋肉を使う時の、たった一〇〇分の一のエネルギーで姿勢を維持できます。ものすごく省エネです。

ナマコの体全体に占める筋肉量と結合組織量とを量ったところ、結合組織が体の約六割を占め、筋肉はその一〇分の一しかありませんでした。われわれ哺乳類は、まったく逆です。筋肉が体の半分を占め、結合組織など一〜二割しかありません。われわれは筋肉ムキムキ、ナマコは皮ばっかりなんですね。筋肉は休んでいる時でも、皮より六倍ものエネルギーを使います。だから、筋肉が少なく皮ばかりのナマコは、エネルギー消費量がきわめて少ないと想像できます。実際、ナマコ一匹丸のままの個体のエネルギー消費量を測ってみたところ、同じ体重のネズミの二〇〇分の一しかエネルギーを使っていませんでした。エネルギーを使わなければ、それほど栄養をとる必要はありません。だから砂を食べても、やっていけるのですね。

ナマコの体は、ほとんど皮ばかり。肉がなくて皮ばっかりなんてものを、捕食者は食う気にならないでしょう。だからこそ、逃げ隠れをしなくても大丈夫なんです。もちろんナマコは筋肉をあまりもっていませんから、逃げようったって、スタスタ逃げることなどできませんが、それでも大丈夫。キャッチ結合組織やホロスリンの毒がしっかり体を守ってくれます。

頭はいいが脳がない

ナマコの餌は砂。砂は、まわりにいくらでもあります。探しまわる必要はありません。だから動きまわるための筋肉もあまりいらないし、餌をみつけるための目や耳や鼻のような感覚器官も、なくて済む。感覚入力を統合して筋肉に指令を出すための、立派な脳も必要ない。エネルギーを使いませんから、酸素や養分をどんどん組織へと送るための心臓もなくて済みます。

脳がない、心臓がない、感覚器官がない、筋肉が少なくて皮ばっかりの動物。こんな動物、めったにいません。こんなもの、いったい動物かい？　という感じですから、研究者がナマコに興味を引かれることは、ほとんどありませんでした。

ナマコは、われわれ脊椎動物とはまったく違った体の作りをしています。脊椎動物は、決してのそのそしてはいません。速く走ったり泳いだりして獲物を捕まえ、また、さっと敵から逃げ去るのが脊椎動物のやり方です。速く動くためには、しなやかで軽い体と、強力な筋肉が必要です。もしも硬くて重厚な鎧で体を守ると、重量は増えるし、体のしなやかさも失われ、速く動けなくなってしまいます。カメなどをのぞいて、そういう防衛手段はもたないのが脊椎動物のやり方です。つまり、私たちの体はやわらかいおいしい肉をむき出しにした、無防備な体なのです。だから、逃げ足と、危険をいち早く察知する感覚器官がなければ生き残れません。もちろん運動系と感覚系とを上手にあやつるには、発達した脳や神経系がいります。

あまり動かなくてもやっていける動物なら、脳はいりません。脳死問題はナマコには存在しないんですね。

われわれ哺乳類のように活発に動くには、たくさんのエネルギーが必要です。走っている時は、安静時の一〇倍ものエネルギーを使うのです。発達した筋肉をもつということは、エネルギーをたくさん使うことを意味します。だから食べ物も、栄養価の高いものを好みます。もし私たちがナマコ同様、砂から栄養をとろうと思ったら、それこそ山のように砂を食べねばなりません。そんなことをしたら、重い大きな胃袋をかかえて、よたよたすることになり、たちまち捕食者に食われてしまいます。

ナマコは砂を食べています。砂を食べて生きて行ける生活！　われわれには、ちょっと想像しにくいものですね。でも、砂が食べられるっていうのは、すごいことなんですよ！

ナマコは砂の上に棲んで、砂を食べている。つまり、棲んでいるのが食べ物の上なんです。ヘンゼルとグレーテルのお話に、お菓子の家が出てきますが、ナマコはお菓子の家に棲んでいるようなもの。お腹がすいたら、ちょっと手を伸ばして口にいれりゃあいい。食べる心配がありません。

食べる心配がないってことは、これは天国の生活でしょう。ナマコはキャッチ結合組織という超省エネの組織を進化させ、省エネに徹して、この世を天国にしてしまったのです。

頭いいなあ！ と思いますね。でもナマコに、脳はありません。

狭くなった地球上で

現代日本人はいつでもどこでも欲しいものがすぐ手に入り、やりたいことがさっとできるように、世の中をつくり上げてきました。この世を天国にしようと目指して来たとも言えるでしょう。そのために莫大な資源とエネルギーを使っているのですが、おかげで環境問題が生じてしまい、天国どころか、地獄に落ちそうなのが昨今でしょう。エネルギーをどんどん投入しても天国はつくれない。逆にナマコは、省エネに徹して天国をつくってしまった。きわめて教訓的な話です。

ナマコは逆転の発想の生きものですね。食べ物を求めて駆けまわるのではなく、駆けまわることを徹底的にやめると、普通、食べられないと思われていた砂が食べ物になってしまう。この逆転の発想の要になっているのがキャッチ結合組織です。こんなすごいものを発明したナマコは偉いなあと、尊敬してしまいますね。

でも正直いって、ナマコが好きになったかと言うと、そうでもありません。三〇年ナマコと付き合っていますが、好きという感情は起こらないですねえ。可愛いとも思えません。

可愛い、おもしろい、役に立つというような、自分が好き、自分に得になると感じられるものとばかり付き合おうとする風潮が、今の世の中、非常に強いですね。嫌いなものとは付き合わないし、さらには排斥する。

しかし、世の中には、自分にとって都合の良いものばかりが存在するわけではありません。嫌いなものとも付き合っていかざるを得ないのが、この世で生きていくことでしょう。たとえ嫌いでも、その相手が独自の世界をもっていて、それなりにちゃんと生きているということが理解できれば、付き合っていけるものだと私は思っています。

頭から毛嫌いせずに、理性的に科学の目をもって、地道に相手の世界を理解する努力が必要です。生物の場合、こうした努力を続ければ、どの生物も驚嘆すべき世界を形作っているのが分かります。本書でとりあげたサンゴもナマコも、みなそうです。理解できれば、「なんとうまくやっているんだろう！」と、尊敬の念すら生まれてくるものです。

サンゴもナマコも、われわれとはまったく違った世界をもっています。そういう世界には、私たちの常識的な見方は通用しないことも多いのです。こういう世界と付き合ってみるのも、必要なことだと思うのですね。

今や、この狭くなった地球上で、さまざまな生物や、さまざまな顔つき、さまざまな価値観、さまざまな宗教・信条をもつ人たちと、共に生きていかねばならぬようになりました。そういう時だからこそ、ぜんぜん可愛くもないナマコとでも付き合っていける知恵、これが、大いに役立つと私は信じています。

おわりに

私は二十有余年、大学の一年生に、一般教育（教養）の生物学を教えてきました。なにせ工業大学。今までほとんど生物の授業を受けたことがなく、これからも生物学とは無縁だと思っている学生たちが相手です。技術者を目指している人たちですから、生物学のこまごまとした事実を教えてもしょうがありません。将来良い技術者になる上で、そしてもっと広く、良い社会人になる上で、ためになる、そんな講義をすべきでしょう。さて、どんな内容がいいのでしょうか？

試行錯誤の末、たどりついた講義スタイルは、私が生物の本質だと考えていることを話し、その後に、その生物学上の事実をもとに、技術や今の世を眺めたら、どのように見えるものなのかを批判的に考えてみるというものです。

ＮＨＫラジオ第二放送で連続講演をしませんか、というお誘いがあった時、この講義の、技術・社会批判の部分をもっと膨らまして、生物学から見た文明論の色合いを濃くすれば、広い聴衆の興味を引き、問題意識を刺激するものになるのではないかと考えました。なにせ、今の生活は機械にあふれています。技術が作り出した世界の中で私たちは生きているのです。そして私たちの考え方にも、技術やその基礎となる数学・物理学的発想が広く深く浸透しています。だから、生物学的発想で眺めるということは、世のあり方に対する批判になり、さらに、今までとは違った生き方を提案することにもつながるでしょう。

そんな思いで放送原稿を用意しました。それを活字にしたのが本書です。放送の機会をお与え下さいましたＮＨＫ文化センターの佐藤邦夫氏、放送原稿を、ほぼそのままの形で本にして下さいました新潮社の阿部正孝氏に感謝いたします。

私も定年まであと三年。工業大学でしたので、まわりは数学・物理学の発想で、いけいけどんどんという方々ばかり。その中で肩身の狭い思いをしながらも、なんとかめげずに、生物学的発想も大切なんだけどなあと、言いつづけた二〇年でした。本書を書き上げて振り返れば、はからずも工業大学からの卒業レポート的なものになってしまったと感じています。

ラジオでは、一一話、どの回でも、まとめの歌をうたったのですが、ここでは一曲だけ、巻末に楽譜を付けておきましょう。ナマコ賛歌、御笑唱いただければ幸いです。

平成二三年三月、技術が作り上げた世界は、なんと脆《もろ》いものかを実感している日に。

本川達雄

見ざる　聞かざる　動かざるでも
なんにも都合は　悪くない

逃げも隠れもしなくても
心配ないんだ　ホロスリン
キャッチ結合組織の皮が
硬くガッチリ　ガードする
食べる心配　逃げる心配

そんな心配　関係ない　関係ない
そんなの関係ない　そんなの関係ない

省エネに徹すれば
砂もたちまち食べものに
砂を嚙むよな人生は
この世のものとも　思われず

砂を食べてりゃ　砂を食べてりゃ
砂を食べてりゃ　この世は天国
ナマコ天国　ナマコ天国
ナマコのパラダイス

ナマコ天国

作詞／作曲　本川達雄

見ない　耳ない　鼻もない
筋肉あっても　超少ない
見ててもさっぱり　動かない
これでもナマコは「動」物かい？
なんでこんなで　生きてられるか
なんでこんなで　生きてられるか
なんだかさっぱり　わからない

見ない　耳ない　鼻もない
心臓もなければ　脳もない
脳死が死ならば　生きてない
これでもナマコは「生」物かい？
なんでこんなで　生きてられるか
なんでこんなで　生きてられるか
なんだかさっぱり　わからない

ナマコはごろんと　砂の上
砂に住まって　砂を食う
砂ならそこらに　いくらもある
きょろきょろ　うろうろ
探すこたあない
見ざる　聞かざる　動かざるでも

本川達雄　1948（昭和23）年宮城県生まれ。東京大学理学部生物学科卒。理学博士、専攻は動物生理学。現在、東京工業大学大学院生命理工学研究科教授。著書に『ゾウの時間 ネズミの時間』など。

Ⓢ新潮新書

423

生物学的文明論《せいぶつがくてきぶんめいろん》

著　者　本川達雄《もとかわたつお》

2011年6月20日　発行
2016年7月30日　13刷

発行者　佐　藤　隆　信
発行所　株式会社新潮社
〒162-8711　東京都新宿区矢来町71番地
編集部(03)3266-5430　読者係(03)3266-5111
http://www.shinchosha.co.jp

印刷所　二光印刷株式会社
製本所　株式会社植木製本所

ISBN978-4-10-610423-7　C0245

価格はカバーに表示してあります。

Ⓢ新潮新書

393
知的余生の方法
渡部昇一
年齢を重ねるほどに、頭脳が明晰になり、知恵や人徳が生まれ、人生が何倍にも充実していく。あの名著『知的生活の方法』から三十四年——。碩学による新しい発想と実践法のすすめ。

403
人間の往生
看取りの医師が考える
大井　玄
現代人は、自然の摂理と死の全身的理解を失っている。在宅看取りの実際と脳科学による知見、哲学的考察を通して、人間として迎えるべき往生の意義をときあかす。

410
日本語教室
井上ひさし
「一人一人の日本語を磨くことでしか、これからの未来は開かれない」——日本語を生きる全ての人たちへ、〝やさしく、ふかく、おもしろく〟語りかける。伝説の名講義を完全再現！

623
好運の条件
生き抜くヒント！
五木寛之
無常の風吹くこの世の中で、悩みと老いと病に追われながらも「好運」とともに生きるには——著者ならではの多彩な見聞に、軽妙なユーモアをたたえた「生き抜くヒント」集。

422
復興の精神
養老孟司・茂木健一郎・曽野綾子・阿川弘之 他
「変化を怖れるな」「私欲を捨てよ」「無用な不安はお捨てなさい」……9人の著者が示す「復興の精神」とは。3・11以降を生きていくための杖となる一冊。